「また会いたい」と思われる人の38のルール

吉原珠央
イメージコンサルタント

幻冬舎

「また会いたい」と思われる人の38のルール

はじめに

あなたは、初めて誰かと会ったとき、その相手に「また会いたい」と思われる自信はありますか？

私は、そう聞かれたら、「あります！」とはっきりと答えます。

こんなことを言うと、「単に、誰とでも笑顔でアイコンタクトを取りながら、会話ができているると言いたいんじゃないか」と、思う人がいるでしょう。

いいえ、違います。きちんと根拠があるから、言えるのです。

まず、本書では「笑顔でアイコンタクト」の定義を、一般的なマナー本などで紹介されている内容と真っ向から異なる意味で提唱しています。

たとえば、「笑顔ばかりを作るな」「目を見ることだけで満足するな」などです。ですから、私はどんなときでも笑顔で、かつひたすら相手の目を見ることだけに熱中することはまずありません。もっと、相手の心をつかむためにすべき、あるルールを実践しているからです。

「また会いたい」と思われるような好印象は、1、2回は偶然に与えられるかもしれませんが、あらゆる人から毎回感じてもらうには「偶然」に甘えることなく、自らが仕掛けていかなくてはいけません。


私はプレゼンテーションを専門とするイメージコンサルタントとして、1年を通し価値観もバックグラウンドも異なる方々、つまり18歳の学生から65歳の会社経営者にいたるクライアントにお目にかかります。どのような人がいようとも、ただ私は「吉原さんにまた会いたい」と思われるために、本書にまとめたルールをひたすら守っているだけにすぎません。

とても簡単で、自然なルールを徹底しているだけなのです。ですが、ありがたいことに、そうすることで自分が会いたいと思っている人のほうから先に声がかかって、仕事の幅がみるみる広がり、そして深まっていったのです。

もし、私がこのルールを実践していなかったら、コンサルタントとしての評価、報酬は確実に半分になっていたでしょう。

もちろん、私だけでなく、本書で紹介している38のルールによって、私のクライアントにも結果が出ている人が大勢いらっしゃいます。「社内の人間関係のストレスが減った」「イライラしなくなった」「お客さんのリピート率が上がった」「結婚できた」「取材を受けるようになった」「年俸を30%上げることができた」など、内気な人や、話しベタと自覚している人、華がないと思い込んでいる人なども、皆さんにそれぞれ嬉しい変化が訪れたのです。

そんなふうに自分や、それを取り巻く環境を劇的に変えてしまう、そのすべてのルールの軸は、ずばり「反応」することなのです。

たとえば、朝の挨拶《あいさつ》、エレベーターに同乗したときの一言、ふと目が合ったときの表情やしぐさなど……そういった〝たった1秒〟の「反応」をいかにうまく使っていくかによって、人生は劇的に変わっていくのです。

その結果、「また会いたい」と思われる人に、確実にあなたがなれるとしたらいかがですか?

仕事もプライベートも今以上に充実し、毎日が楽しく感じられるようになるのです。そのうえ、自信がみなぎり、チャレンジ精神も沸々とわいてくるでしょう。

本書には、私が独立してから7年かけて体得してきた、そのエッセンスを「38のルール」として、ギュギュッと詰め込んでいます。

どのようにそれらを意識し、行動していけばいいのか。まさに、今すぐ実践できることばかり。ぜひ読み終わって24時間以内に38のルールのうち、何か一つでいいので実際に試してみてください。

きっとあなたは「また会いたい」と思われる人に生まれ変われる瞬間を体感できるはずです。

難しいことは一切書いていません。〝たったの1秒〟で、誰にでも簡単にできることだけを紹介しています。

その1秒によって、あなたは「また会いたい」と思われるようになれるのです。それを実行した人生と、しなかった人生、どちらが充実しているかは、もうおわかりですよね。

それでは、早速レッスンを始めていきましょう！

「また会いたい」と思われる人の38のルール◎**目次**

Part 1

「また会いたい」と思われる人の考え方のルール

Part 2

「また会いたい」と思われる人の見た目のルール

Part 3

「また会いたい」と思われる人の行動のルール

装丁／石間淳
カバー写真／玉木秀樹
図版・DTP／美創

Part 1

「また会いたい」と思われる人の**考え方**のルール

1　人生はたった1秒の反応で決まる！

あなたの反応力は？

さあ、イメージしてください。とても簡単なゲームです。

目の前に熱々のコーヒーが入ったマグカップがあります。すると突然、そのカップが倒れてあなたの体にコーヒーがこぼれてしまいました。

あなたはとっさに、どのように反応しますか？

おそらく「あっち〜!!」「あつっ!!」など、慌てた様子で反応した方が多いのではないでしょうか。もしくは、無言ではあるけれど、素早く体をひねらせたり、立ち上がったりといった行動で反応した方もいるでしょう。

「危ないからよける」といった危機に対して反応できるから、災難を回避することも可能ですし、また周囲の人がそれに気づいて、あなたを助けようとしてくれることもあります。

こうしたちょっとした反応によって、私たちの人生は積み上げられていきます。自分を守るため、そして周囲に協力してもらうため、私たちは強く意識していなくても、無意識レベルの中で、自分と相手に何かしら、反応による信号を送り続けているのです。それは、危機的状況のときだけではありません。**私たちは普段の人付き合いや、職場の中などにおいて、反応の連続で生活をしています。**

たとえば、朝出勤すれば「おはようございます」、人に何かしてもらえば「ありがとうございます」、そして、ありふれた会話の中でも「うん」「はい」「なるほどね」などと、目の前に相手が一人でも存在すれば、必ずコミュニケーション上、反応が必要となってきます。

私はこのイメージコンサルタントの仕事を通じて、あることに気がつきました。年間に研修、講演、プライベートコンサルティングなどで1000名以上の方とお会いする中で、「また会いたいと思われる」、前向きでチャンスをぐいぐい引き寄せて目的を達成し、幸せなオーラを発している人たちには共通点があることを……。

ずばりその共通点とは、「反応がよい！」ということです。彼らとは、打てば響くようなコミュニケーションが取れるのです。たとえ付き合いが短くても、反応がよい人は、30

秒も話していたらわかるものです。その間の1秒1秒の反応が「また会いたい」と思わせる根拠になっていくのです。

私たちに与えられた時間は有限です。そういう与えられた時間の中で、自分をどのように印象づけたいのか、相手に長々と語っている暇はありません。そのとき、そのときのとっさの反応で、相手はあなたがどんな人かを確実に判断しているのです。

信頼される人には共通点がある

「また会いたいと思われる人」は、実際に前向きで、他人から信頼される要素を持っています。ただ、驚かれるかもしれませんが、そういう人は、必ずしも社交性がずば抜けて高く、誰よりも明るく、頭脳明晰で話も得意……というわけではありません。

共通点である「反応がよい」というのは、簡単に言うと、「思いやりをうまく表現できる」ということなのです。そういう人は、その場の空気（雰囲気）をさわやかに変えてしまいます。空気が変われば、お互いに話がしやすくなったり、信頼できるようになったりするわけです。

さらにそういう人たちは、相手やその場の空気についていろいろなことを考えています。

たとえば、「いつも神妙そうな顔つきだと相手が緊張するだろう……」「感じよく反応すれば相手がきっとリラックスしてくれるだろう……」などと相手の立場になって物事を考えているから、その都度うまく反応できるのです。

そして、実は反応というのは、意外にも無意識レベルで返している人が多いのです。

昨日の朝、あなたは「おはようございます」と誰かに挨拶をした際、何を考えていましたか?

答えられない人は、普段、無意識に反応をしている可能性が高いでしょう。

逆に、自分がどのようなことを考えて挨拶したのかを、きちんと覚えている人は大したものです。たとえば、「元気がない人」に対しては「おおらかさを持って挨拶できた」、「うきうきしていた人」には「自分も同じテンションで楽しそうに挨拶できた」といった感じです。

反応というのは、相手や状況に合わせて意識的に行うべきものであり、また反応には目的をこめるべきです。仕事でもプライベートでも、相手の気持ちと、未来の関係を思い描き、理想的な状況を想像します。そして相手とのコミュニケーションの瞬間瞬間に、魂をこめて反応することが求められるのです。

「そう言われても、どう反応していいのかわからない……」という人は、少しでも体を動かしてジェスチャーを使ったり、一言でも言葉に出して、相手に対して反応をしてみようとチャレンジすることです。何かしらの反応をしなければ、心の中では熱い思いがあったとしても、誰にも何も伝わらないからです。相手との理想的な関係や、結果（内定、社会的評価、昇進、起業、マネジメント、恋愛、結婚など）は、たった1秒であっても「反応」が導くものなのです。

自分が描く相手との関係や理想的な状況は何なのか？　そして、そのためにどのように反応すべきか？　などと、自問自答の連続から見つけ出した答えの中から、「信頼」は生まれていきます。**生まれ持った容姿や本来の性格とは違って、「反応をよくする」ことは、意識と努力で後天的に自分で鍛えて変えていくことが可能なのです。**

あなたの大事なお客様の相談に対して、心から「それは大変でしたね」と言えるのか、あるいは「へ～なるほど」と浅く反応するのかで、3秒後の両者間の関係は変わるでしょう。反応すること一つひとつが、あなたの人生をリアルに作っているのです。

さあ、ここまではよろしいでしょうか？

ところで、今あなたは、頭の中だけで返事をしませんでしたか？

さあ、早速声に出して「はい！」などと反応してみましょう！　今の時代は、反応が上手にできる、反応力のある人が求められています。そういう人たちが、「また会いたい」と思われることで、目標を次々と達成しているのです。あなたも今から反応力を身につけ、仕事やプライベートの目標をどんどん実現していきましょう。

Point

一回一回の反応が、あなたの人生を決める！

2 今すぐ言動をポジティブにしよう

無理に「ポジティブ人間」になる必要はない

私が講師をする研修の冒頭では、受講者の方に必ず話していることがあります。それが、「言動のポジティブ化」ということです。つまり、**言葉と態度は常にポジティブに反応し続けましょう**、という提案です。

この場合、本人の性格がポジティブかネガティブかは一切関係ありません。けれども私は、研修に入る前にまず「あなたはポジティブですか？　それともネガティブですか？　どちらかに手を上げてください」と、受講者に質問します。これまでの総数を平均すると、ポジティブ派とネガティブ派は半々くらいの数になります。

そのあと私は種明かしをします。「はい。どちらでもOKです！」すると、「な〜んだ。どちらでもいいの？」といった驚いた表情をする人もいます。

そう、私の提案はあくまで「言動のポジティブ化」です。ですから、頭の中ではどんなに暗く、また悲愴めいたことを考えていてもいいのです。だって、人間ですから。私にも恥ずかしいほど自信がないときや、たった一つの不安や怒りで一日中悩まされてしまうことだってあります。私って小さいな……と考えてばかりの人生です。

ただ、頭の中がそんな状態であっても、**その思考を「言葉にする」「態度に出す」ときには、その思考をポジティブ変換してしまうことのほうが断然メリットがある**、と確信しています。

かりに「不安で仕方ない」「だるくてしょうがない」「仕事をやる気が起こらない」というネガティブなことを言って表情も暗く、猫背で挨拶もろくにしないような人がいるとしましょう。さあ、この人の言動によって、誰かが何かしらすばらしいメリットを期待できるのでしょうか。

答えはNOです。

誰もハッピーになりません。プラスマイナスゼロどころか、マイナスです。言ったところでどうにもならないようなことは、常識ある大人であれば、口に出さないほうがスマートです。

ネガティブな言動を取っている人の周囲の人たちは、明らかに必要のないマイナスオーラを浴びざるを得ません。言っても仕方のないことをぐだぐだと言い続ける人に対して、イライラしたり、自分まで不安になってきたりと、多大な迷惑を被《こうむ》ります。そして、ネガティブな言動を取っている本人自身は、そうしている瞬間瞬間、「自分は最低の状況なんだ」「自分には不可能だ」という強烈な洗脳を自分自身にしてしまっているわけです。

「言動がポジティブ派」には幸運が訪れる

次の質問です。ポジティブな言動を取ることでメリットはあると思いますか？

答えはＹＥＳです。

ポジティブな言動が取れている人は、可能性や運を自分でコントロールできるのです。私たちの脳と運動機能は、感じたことに対して素直に、そして相互に働きかけます。たとえば、「嬉しいという感情があるから笑う」こともあれば、「笑っているから嬉しいという感情になる」ということもあるそうで、これは科学的にも証明されています。

ですから、**自分が言うことも態度もポジティブであれば「私にはもっと可能性がある」「私にはできる」といったよい洗脳を自身でしていることにもなるのです**（暗示とも言えますね）。それを見ている周りの人たちは、輝いている運のよい人にひかれて、寄ってきます。仲間になりたいと思うので、似たような人たちが集まってくるでしょう。

また、仕事ができそうに見えたり、信頼に値する立派な人に見えたりするので、人間的にも社会的にも高評価を得られるでしょう（「見える」ということは「見せる技術」があるということですから、それはそれで立派な本人のイメージです）。

私のクライアントでも、表情を明るくするために口角（唇の両端）を5ミリだけ上げて生活をするようにアドバイスしてきた人たちのほとんどが、その後の仕事で何らかの成功体験をおさめています。

たとえば、「社内の苦手な後輩から相談を持ちかけられるようになった」という人がいますが、おそらく表情がソフトになったことで安心感が生まれたのでしょう。あるいは、「ビジネスパーティーなどで今まで以上に人から声をかけられるようになった」という人もいますが、口角を上げた表情に品性が出てきて魅力が増したのでしょう。

そして、**姿勢をまっすぐにして顔を上げることも、立派なポジティブ化です。丁寧なお辞儀についても同様のことが言えます。**

また、言葉のポジティブ化においてもたくさんの成功事例がありました。しかし、もしあなたが以下の「NGワード」を使用しているとしたら、今日からポジティブな言葉に変換するか、「かもしれない星人」（勝手に私が命名しました）といって、「できない」などのネガティブな言葉のあとに、「でも＋○○（ポジティブ変換）かもしれない」と言い換えができる人になることをおすすめします。

「未来の自分＝今日の言動の結晶」です。無理をしすぎる必要はありません。まずは、普段の言動の中に、ネガティブな部分が潜んでいないか、自分で確認してみましょう。

それから、「ポジティブ」なのはいいことですが、「あなたももっとがんばりなさいよ」「もっとポジティブになりなさいよ」と人から言われるとストレスに感じます。

ポジティブの押し売りだけはしないように気をつけましょう。

NGワード	ポジティブ変換	かもしれない星人
疲れた	よく働いた！	疲れたかもしれない、でもきっと、こんな日はビールがおいしいぞ！
大変だ	鍛えられそうだ！	このプロジェクトは大変かも、でもこんな経験はなかなかできないぞ！
面倒くさい	よし、やるぞ	面倒くさいかも、でも仕事だったら当然だ。よし、ちゃんと終わらせるぞ！
できない	とりあえずやってみよう！	できないかも、いや、慣れていないだけだ！
忙しい	次の休みが楽しみだ！	忙しいかもしれないけど、時間管理が試されるいい機会かも！

Point

言動だけをポジティブに変えることで、人からの評価が変わる！

3 ―「まいっか星人」になろう

「まいっか」という一言で、気持ちをリセット！

突然ですが、「まあ、いいか」の意味で、「まいっか」と明るく元気に声に出して言ってみていただけますか？

言葉を実際に発してみて、どのような気分でしたか？　なんだか自然と肩の力がすーっと抜けて、緊張がほぐれるような感じだったのではないでしょうか。

そう、「まいっか」という言葉には、気持ちをリセットする力があります。失敗や、起きてしまったことを悔やんで、可能性をシャットダウンしている自分に対して、「起きてしまったことは仕方ないじゃない！　それはここでおしまい」と言って、次のステージへ背中を押してくれる言葉なのです。それを実践できている人たちのことを私は「まいっか星人」と呼んでいます。

そして、私が使う「まいっか」というのは、問題から逃げたり、諦めたり、後ろ向きに考える意味ではありません。「まいっか」というのは、別のオプションを見つけたり、**気分を切り替えて前向きに再出発したりするための精神のことを指します。**

ですから、「まいっか」＝「なげやり」ではなく、「まいっか」＝「前向きな再出発」というわけです。

人生においてたくさんあります。ただ、「落ち込むのは5分だけ」「悲しむのは1日だけ」と自分でラインを引きましょう。メリハリさえつければ、その間はとことん落ち込んだり、悲しんだり、ウジウジしていいのです。逆に、中途半端に我慢すると、かえって気になってしまうものです。

「財布や携帯電話を失《な》くしてしまった」「試験に落ちてしまった」など、落ち込む理由は

そして、そのラインを越えたら「まいっか」と言って再出発するのです。私たちは日ごろから、数字を意識して生活する習慣が身についています。たとえば、7時ごろには朝食、8時台の電車に乗る、ランチは12時、夕食は19時くらい、寝るのは23時……というように生活しています。

それを生かして、先ほどのラインを引くのです。そして「そうだ、もうすぐ12時だからランチだ」という考えと同じように、「そうだ、後悔する時間はここまで！　次は気分を

切り替えるぞ……」というふうに、行動を取ってみるのです。

最初は慣れないかもしれませんが、はしの正しい持ち方や歯磨きが、だんだん違和感なくできるようになった子ども時代のように、きっといつか「まいっか」のスイッチが自然に入っていく自分になれるでしょう。

「まいっか」は感情のコントロール剤

私はよく「まいっか」を独り言で使っています。期待を寄せていたビジネスの大きな案件がダメになったとき、今すぐ使いたいのにパソコンの調子が悪いとき、急いでいるときにストッキングが伝線してしまったとき……そんなときには「まいっか」と言います。

不思議と、その直後には「こんなときもあるよね。試練、試練！」「パソコンもわがままになりたいときがあるのね」「急がば回れってことね」などと、冷静に楽観的に物事をとらえようとするのです。そうすると、**焦りや怒りが静まるので、落ち着いて行動できるよう、時間がリセットされるのです**。

運勢というのは、日々の自分自身の言動が動かしていると私は感じています。「まいっか」と言うことによって、私は多くの焦りや怒りをプラスの力へ変えています。しかも、コストゼロ、労力ゼロの簡単な方法です。マイナスな感情を引きずっていては前へ進みません。難しいことは一切考えず、まずは「まいっか」と言ってみましょう。

Point

「まいっか星人」になって、気持ちの切り替え上手になろう！

4 「3K」を毎秒表現しよう

「3K」を意識したことはありますか?

人は心の中で、常に「私に感謝してほしい」「私と一緒に感動してほしい」「私に関心を示してほしい」、そして「感心されたい(ほめられたい)」という思いを少なからず持っているものです。そして、その思いをうまくコントロールしながら生活しています。

そのため、そういった相手の欲求を満たしてあげると、「この人は自分のことをよく理解してくれている」と思い、相手はあなたに対して特別な感情を抱き始めるでしょう。

そこで、「また会いたい」と思われる人になるために、私は3Kを伝える達人になることをおすすめしています。**3Kとは「感謝・感動・関心」のことです。**人は誰でも、自分の発言や行動に対して、常にこの3Kを、相手から言葉や態度でちゃんと反応(表現)して認められたいと思っているのです。

そのためには、会話の中で相手（会話の内容、表情の動き、声の感じなど）をよく観察することが求められます。

もし相手が何か言っても、あなたの反応がよくなければ、無反応と同じくらい最悪な印象を相手に与えてしまいます。しかし、「ありがとう！」「嬉しいです！」「立派ですね！」などと、３Ｋをわかりやすく気持ちをこめて伝えることで、その相手はやる気がわいてきたり、自信がついたり、嬉しい気分にさせられたりするのです。一方、３Ｋがまったくないと、イライラしたり、寂しい気分になってしまったりすることもあるのです。

「３Ｋ」はビジネスにも欠かせない

たとえば、車の免許を取ったばかりのあなたが「免許が取れたのよ！」と嬉しそうに友人に話したところ、友人の反応が「そうなんだ」と、そっけない反応だったとしたら、切ないはずです。こういうときは、３Ｋの中の「感動」の気持ちとして「それはよかったね！」などと笑顔で言ってあげるべきでしょう。

あるいは、相手のために何か骨の折れることをしてあげたのに、お礼も言わずに、してもらったことを当たり前のようにさえ思っている……そんな相手に対して、人は「この人にはもう何もしてあげたくない」と感じることもあるでしょう。こういうときには、「感謝」の気持ちとして、お辞儀とともに「本当にありがとうございます」と丁寧に伝えるべきなのです。

また、ビジネスの世界では、３Ｋに対してうまく反応できなければ、容赦なく関係を切り捨てられてしまうでしょう。そのうえ、「気が利かない」「利己的だ」「人に無関心」などという評価にもつながります。

その評価は決してはずれてはいません。そのように思われても仕方がないからです。**相手に対してうまく３Ｋで反応できないのは、まずしっかりと相手を知ろうということができていないのが原因です。**さらに、エンターテインメント性、つまり相手を喜ばせようという気持ちが明らかに低いがために、相手が心の中で求めている気持ちを見過ごしてしまうのでしょう。

たとえば、買い物での会話で、店員から「いらっしゃいませ」と言われたとき、客が「以前、こちらで買い物をしたときに、気になっていた別のＴシャツがあったので、今日はそれを見に来ました」と言ったとします。

３Ｋをうまく伝えられる人は、すぐさま「前回は、お求めいただきまして誠にありがとうございました！」（感謝）と言えるはずです。しかし、３Ｋをわかっていない店員は「どのようなＴシャツでしたでしょうか？」と、「感謝」の気持ちを伝えずに、自分の都合だけで対応してしまうのです。

キャリアや年齢とは関係なく、相手が求めている３Ｋに反応できれば、人と差をつけて、チャンスをぐいぐいつかんでいくことが容易に想像できますね。

それでは、３Ｋをうまく伝えて、相手を気分よくするポイントをまとめてみました。３Ｋに敏感になって「◯◯さんと話していると、気分が上がるわ！」と言われる人を目指していきましょう。

◆３Ｋの反応例

①キーワードを見つける

ペットの話をする、自分の子どもの話をする、仕事の成功談を話す等々……相手がどこに満たされたい３Ｋの感情があるかを探る。「成績は普通なんだけど、元気だけが取り柄の息子なんですよ」という話の中には、「元気で育つように両親が愛情をかけている／のびのびとした環境を与えている」という事実が潜んでいるかもしれないので、そこに「感動」や「関心」の気持ちで反応する。「愛情をたっぷり受けているから元気なんですよ！」など。

②返答の「ひと言」を工夫する

「はい」だけでなく、「へ〜」「それはすごいな〜」「うわ〜」「すばらしい」「さすがですね」「それで、それで」など、抑揚とバリエーションを持って反応するだけで、「あなたのその話は面白い」「早く次を聞かせて」「共感しています」というニュアンスに。話し手にとって気分よく話せる環境を与えることで、3Kにより信憑性《しんぴょうせい》が生まれる。

③うなずきに変化をつける

会話の内容や相手のテンションに合わせた、うなずきが大切。1回のうなずきを深くしたり、1呼吸ではなく2呼吸おいてからじっくりとうなずくなど。単調なうなずきにせず、変化をつけることで説得力が強まり、「毎秒毎秒あなたの言葉をきちんと理解していますよ」という安心感を与えることができる。

④質問する

「そのときどんな気持ちだったのですか？」「なんだか深い意味があるようですね？」などと、話している本人にとって「もっと話したいこと」「もっと考えたかったこと」に的を絞って質問する。質問の回答に対しても、３Ｋできちんと伝え続ける。

たとえば、クライアントの持っている紙袋に「ＤＦＳ（免税店）」と書いてあった（最近、海外に行っていたのか？）、指に絆創膏をしている（怪我をしたのか？）、声がかれている（風邪をひいたのか？　それともカラオケで盛り上がったのか？）など、人をよく観察する習慣を持ちましょう。そこから、面白いほど３Ｋがわかってきますから。

Point

３Ｋを探すには、相手の持っている紙袋のロゴにいたるまで、よく観察すること！

5 「晴れの日」を単純に喜ぶな

簡単なゲームからも、価値観の違いがわかる！

誰しも「あの人は何を考えているかわからない」「あの人は難しい」と思う人が1人はいると思います。なぜ、そのように思うのかを探っていくと、結局は相手の「価値観」（物事をとらえるものさし）と「欲求」（欲しがっているもの）がわからないため、相手にどのような反応を返したらよいのかわからずにいるからだということがわかります。

さらに、一度「この人は難しい人だ」と思い込んでしまうと、それが恐怖心や無関心へと変わってしまい、相手を知ろうとするチャンスを逃してしまうことになるでしょう。

人は、ほぼ共通して「自分を認めてもらいたい」「他人とうまくやっていきたい」という欲求を持っています。ですから、まず相手の価値観や欲求について考えたうえで、相手とのコミュニケーションで、どのように反応する（リアクションを取る）かを考えてみると、もっと自然に、もっと深く相手と関わっていくことができるのです。

なぜなら、「相手のことがわかる」と思うことで、自信がつき、あなた自身から親近感や安堵感が醸し出されるからです（自信がないときは緊張感が漂います）。そして、それを感じた相手は心を開き始めるのです。

それでは、まず「価値観」（物事をとらえるものさし）が、いかに人それぞれなのかを確認するために、簡単なゲームをしてみましょう。

Q・次のキーワードから思いつく言葉を1つずつ挙げてください。あなたの回答も含めて5人以上の人に聞いて比較をしてみましょう。

（例）お金→1000円、収入、生きるために必要なもの、穢《けが》れたもの……など

・時間→

・結婚→

・大企業→

・車→

・日本→

このゲームは、私がたまに研修で行うものです。とにかく直感で答えてもらうのがポイントです。正しい回答があるわけではありません。ただ、同じキーワードであっても価値観は人それぞれだということを感じるためのものです。車を例に取り上げても、「速くて安全」と思う人もいれば、「危険な乗り物」と思う人もいるでしょう。

それでは、「テレビ」についての価値観の事例です。Aさんは「生活の中でかかせない楽しみ」、そしてBさんは「うるさい箱」と答えたとしましょう。

Aさんはテレビに対してポジティブな価値観を持っていますが、Bさんはネガティブな価値観を持っているのがわかります。そのどちらに対しても、きっと理由があるのでしょう。たとえば、Aさんの場合は、お父様がテレビ関係のお仕事をされていてその影響かもしれませんし、または入院中にたまたま見ていたテレビ番組で精神的に励まされた……というエピソードがあるのかもしれません。一方、Bさんはテレビの音量で幼少時から兄弟げんかばかりだったという過去があって「うるさい箱」と思うのかもしれませんし、あるいは読書が大好きだから、それと対峙《たいじ》させた表現をした可能性もあるわけです。

価値観は経験から作られる

このように価値観の背景には、過去における思い出や経験があります。それによって、現在の価値観が作られているのです。ですから、Aさんに対して「テレビなんてどこが楽しいの？」などと否定することは、Aさんの過去をも否定してしまうことになってしまうのです。そんなふうに否定されたら、誰しもが怒りやストレスを感じてしまいます。

相手の価値観に違和感を持つことがあるのは当然ですが、何も否定する必要はないでしょう。ただ**「なるほど。興味深いご意見ですね」「新鮮な印象を受けました」などと言って、「受け止め」をすればいいのです。**そうした反応によって、相手はきっと、「この人は話しやすい」「自分の価値観を受け止める器がある人だ」と思ってくれるはずです。

それから、「晴れの日＝嬉しい」といったイメージに対しても、誰もが同じ価値観を持つとは限らない、と疑ってみるとよいでしょう。

たとえば、農作物を作っている人たちにとっては、晴天が続くよりも、たまに雨が降ってくれたほうが助かります。でも、都会に住む人たちの中には、雨だと靴が濡れていやだとか、髪形がきまらなくて困るなどと思う人もいます。

相手の職業、状況、仕事における繁忙期、社会的ポジション、家族構成、年代、性別、使っている言葉や表情などからの情報を敏感にキャッチして、そうした価値観の違いに関するヒントを探る努力が必要です。

以前、研修講師の仕事で新潟に出張したときに、雪景色の美しさにうっとりしてしまったことがありました。けれども、住んでいる方々にとっては雪かきをする必要があるわけですし、電車や新幹線が運休しないか、車の運転は大丈夫か……といった心配事もたくさんあります。そんな中、私が「雪景色がとてもきれいで、新潟にお住まいの皆さんが羨《うらや》ましいです！」なんていう挨拶をすれば、「この人は自分たちの苦労をわかってないな」とがっかりされてしまうでしょう。ですから、美しいという感想を伝えたいのであれば、雪によって起こりうる生活の中での「大変さ」に対する配慮の言葉をプラスするなどして、相手の価値観を理解しようとしている姿勢を示していくことが大切です。

自分の価値観を相手に押し付けて、「自分はすばらしいことを言っている」といった勘違いは恐ろしいことです。それぞれの人の持つ価値観によって、受け取り方は千差万別であるということをより意識しましょう。

Point

相手の価値観を大事に思える人になろう

6 まずは相手の「欲求」を見極めよう

頻繁に会話で使う言葉を要チェック！

私たちは誰しも、相手に対して「〜してほしい」という欲求を抱えながら生活をしています。たとえば、「親切にしてほしい」「尊敬してほしい」「話をちゃんと聞いてほしい」「正直に真実を言ってほしい」等々。

自分を含めて、人はこういう欲求を持ち続ける生き物だということを、ここでは改めて理解してください。そうすれば、相手の気持ちを満たすことや、また憤慨して感情が乱れているときに、どのように落ち着かせてあげられるかが見えやすくなるからです。

実際に、**言葉や表情、しぐさなどのほんの小さな反応によって、相手の満足度がプラスへもマイナスへも大きく変化します**。相手が具体的に欲している反応のポイントをはずしてしまえば、信頼の大きな損失にもなりかねないため、注意深く相手の発する信号を見極めることが必要です。

それでは、どのように相手の欲求ポイントを見極めればいいのでしょうか？

「何を望んでいるのですか？」と単刀直入に聞くことができたら簡単ですが、聞けない状況だったり、また聞いてしまうこと自体が相手の欲求に反してしまうこともありますから、相手に聞かずとも探れる簡単な方法を紹介します。

それはずばり、**相手が会話の中でよく使う言葉＝キーワードをうまくとらえることです。**

たとえば、「愛」「幸せ」「運」というキーワードをよく使う人は、まさにそれらを欲している人たちで、目に見えないもので充実感を感じる傾向が強いタイプです。

また、「お金」「キャリア」「成功」「人脈」などというキーワードをよく使う人は、それらを欲しているのと同時に、物質的な評価がモチベーションとなる傾向が強いタイプです。

また、家族、恋人、友人、会社の人など、よく会話に登場する人物などの頻度や、考え方を観察するだけでも、そのときの興味、関心事や、悩み事などがよくわかります。そういうふうに気をつけて会話をしていると、相手が今何を必要としているのかが見えてくるのです。

会話の中にやたらと数字や難しい単語を使っている人は「一目置かれたい」という欲求が強いのと同時に、「知識以外では自信がない」という不安を抱えている可能性もあります。また、タバコをやめたいけれどやめられないと言い訳をする人は、「言い訳せずにがんばれ！」と言ってほしい場合もあれば、「無理することないよ」と言ってほしい場合もあります。このように欲求を探っていくと、相手が強く欲しているもののほかに、その人のデリケートな心の内を発見することもあるのです。

そういった特性がわかると、相手が自分に対してどのような反応を求めているかが見えてきます。ほめてほしいのか、活を入れてほしいのか、共感してほしいのか、ただ真剣に聞いてあげるだけでいいのか、何も言わず抱きしめてほしいのか、慰めてほしいのか……。

あなたの欲求ポイントは何タイプ？

それでは、反応の仕方によって、その人が何に欲求を感じる傾向があるかを探ってみましょう。

それを体感するために、それぞれのセリフをあなたの身近な人に音読してもらうことをおすすめします。あなた自身が、どのような反応に対して満足するかを確認してください。

それが終わったら、しっくりこないセリフに対しても確認してみましょう。

■「いつも明るい挨拶ができる」あなたに対して

①いつも幸せそうですね
②きっとビジネスでうまくいくタイプですよ
③ご両親のしつけがすばらしいですね

■「事業で成功した」「仕事で業績を上げた」あなたに対して

①あなたにはビジネスセンスがあります
②経済力があって羨ましいです
③日本を代表する経営者になれますよ

■「飲み会で人一倍気を配った」あなたに対して

①あなたがいるから場が盛り上がりました
②世界でもトップクラスに入るホテルのサービスレベルの気配りですね
③あなたみたいな人が社会では必要なんですよ

■「おしゃれな」あなたに対して

①あなたらしいおしゃれを楽しんでいて憧れてしまいます
②バッグをたくさん持っていらっしゃるんですね
③あなたが持つものはきっと流行《はや》りますよ

■「転職活動がうまくいかない」あなたに対して

①辛いでしょう。でもきっとあなたに合う会社が見つかりますよ
②お給料が条件に合わなくても、まずは働いてみたらいかがですか?
③どこにも所属していない状態は焦りますよね

それぞれの場合で、どのような反応(①〜③)のときに、しっくりときましたか? それによって、あなた自身の欲求ポイントが見えてきます。

①が多かった人→感情優位タイプ

感情で物事を判断してしまいがちなタイプ。「面白いから」「かわいそうだから」「優し

いから」という基準で人を判断してしまいがち。

②が多かった人→マテリアル優位タイプ

物事の価値や必要性を金銭的に換算し、目に見えないもの（思い出、イメージ）よりも、目に見えてわかりやすいもの（プレゼント、写真）のほうを好む傾向が強いタイプ。

③が多かった人→社会評価優位タイプ

社会や周囲の人の意見を重要視、または気にしてしまうタイプ。権力のある人の言葉を信じやすく、個性的で癖のある人や、斬新なファッション、デザインにはあまり興味がない。

相手のちょっとした反応から、大まかでいいので「何を求めているんだろう？」という推測を立ててみると、相手の真意が見えてきます。あなたの真意も、①～③のタイプに当てはまる部分が遠からずあったのではないでしょうか？　相手が求めているものを考えながら、コミュニケーションを取るよう心がけましょう。

Point

相手の欲しているものを、言葉の中から推測しよう！

7 「話をぜひ聞かせてほしい」と言われる秘訣

話を聞いてもらえることに感謝していますか？

さて統計が示すように、もし人生80年ほどだとしたら、あなたはあと何年の人生を生きていけますか？

私はあと47年です。すると、健康に過ごせてクリスマスもお正月もあと47回。1日3食だとしたら、食事の回数はあと5万1465回。明日の朝になれば1回減って、5万1464回になってしまいます。また1年に3回海外旅行ができるとしたら、あと141回。とはいえ、80歳にもなれば現在の体力が完ぺきに維持できているはずもないので、実際にはもっと少ないチャンスになるのかもしれません。こうして計算してみると、いかに人生の時間が有限であるかをリアルに痛感させられます。

そして、人との出会いやチャンスも無限にあるわけではないのです。昨日まで当たり前のように過ごしたり、挨拶を交わしたりしていた人たちと、明日も同じように会える保証はどこにもありません。だからといって、「あなたも日々感謝しないといけませんよ！」なんて、感謝することを押し売りしているわけではありません。

ただ、あなただけでなく周囲の人たちにも同じように時間が流れていて、**誰かがあなたとコミュニケーションを取っているその瞬間は、相手の人生の時間を自分に使ってもらっているんだと認識することに大きな意味があるのではないかと思うのです。**「自分と会ってくれる人がいる」「目の前にコミュニケーションを取れる人が存在する」「誰かが自分に何か反応してくれた」ということは、実は奇跡に近いことなのです。

ところで、私は毎年、年に約１００本以上のセミナーや講演を行っています。経験を積んできたとはいえ、毎回受講者も変わりますし、主催者側のねらいや私自身の精神状態も微妙に変化しますから、本番直前は心拍数が上がり、ほどよいプレッシャーと緊張感を常に感じています。

あるとき、話し方のプロも参加するような社会人向けコミュニケーションセミナーの講師の仕事がありました。本番直前になってあまりに緊張したので、楽観主義の王道を行く母と話すことによって落ち着こうと考え、電話をしたことがありました。

そのとき母は言いました。「たとえミスをしたって地球がひっくり返るわけでもないんだから大丈夫よ！」。確かにその通りです。こういうときは難しいことよりも、このくらい単純に言ってくれるほうが助かります。そして、続けてこんなことを言ってくれました。「とにかく、あなたは人に話を聞いてもらえる仕事ができることに感謝しなさい。それはとても幸せなことなのよ。世の中には、いくら話したくても、簡単には相手に話を聞いてもらえない仕事のほうが多いんだから。**人生には2つあるのよ。人に話を聞いてもらえる人生と、人の話を聞くばかりの人生と……**。とにかく、全力を尽くしてきなさい！」

このとき、体に電気のようなものが走ったのを今でも覚えています。自分の話を聞いてもらえるということは、決して当たり前のことではなく、人様の人生の一秒一秒を与えてもらっている。そのことに感謝の気持ちを持たなければいけないのだと痛感させられたエピソードでした。

話を聞いてもらえる秘訣とは

さらに「話を聞いてもらえる人生」と「話を聞くばかりの人生」について考えてみましょう。社会的立場上、相手に安易に話を聞いてもらえる人もいるでしょうし（学校の校長先生、組織内で役職を持っている人、誰かの先輩という立場の人など）、また「話がうまいほうだ」と評価されて、人前で話をする機会を多く得ている方もいるでしょう。

でも、それは前者の「話を聞いてもらえる人生」が本当に意味していることではないと私は考えています。

お膳立てしてもらった場面で話をして、相手が静かに聞いてくれた……というのでは話し手の自己満足にすぎません。**聞き手に感謝しながら、聞き手の反応を感じて、それに応えながら話をして、聞いていた相手が本音で満足して、初めて「話を聞いてもらえる人生」となるのです。**

人や与えられた時間に感謝するから、さらに話を聞いてもらえる可能性が広がることは間違いありません。私は、研修や講演後に、担当者の方から「吉原先生、本日は本当にありがとうございました」と言っていただくことがほとんどですが、私のほうがその何十倍、何百倍もの感謝の気持ちを相手に対して持っているつもりです。

以前、ある企業の人事の方が「これまではうん十年という経験のある講師の先生に社員のコミュニケーション研修をお願いしていたのですが、社員からクレームがあって以来、その方には依頼するのをやめました」とお話ししていました。私が「どのようなクレームが、「俺様が話してやってる……というタイプの方で、社員からは、聞いているだけでストレスがたまる、というものが多かったのですとのことでした。

十分な経験もあり、きっと博識な講師だったのでしょうが、「話し手」は「聞き手」よりも決して偉いわけではありません。コミュニケーションでは、「お互いに学び合う」「Winwinになる」という考え方がないと、話を聞いてもらえるチャンスはやってこないのです。「私の話はみんなニコニコしながら聞いてくれる」というのは、相手が何かしらの力や決定権を持つあなたに嫌われるのを避けるためのパフォーマンスにすぎないかもしれません。「聞くふり」をされて話している時間は、誰にとっても無駄でしかありません。

社会的にどのような立場であれ、また年齢や経験値では聞き手よりも先輩であったとしても、誰かに話を聞いてもらうときには、**「時間とチャンスを与えてくれて感謝します。ありがとう」と頭の中で何度も呟《つぶや》くことです。**

そして「話を聞いてもらえる人生」を歩むことで、ほんの少しでも人や社会に貢献できるチャンスが増えていくわけです。

それって、お金では買えない喜びだと思いませんか？

「あなたの話で元気が出た」「あなたのおかげで楽しい時間を過ごせた」と言ってもらえる人生は、あなたに精神的な豊かさをもたらしてくれるでしょう。
さあ、あなたはどちらの人生を目指したいですか？

Point

「私の話を聞いてくれてありがとう！」と思える人には「話を聞いてもらえる人生」が待っている！

8 世界のトップマジシャンから「おもてなしの心」を学ぼう

マジックショーからも多くの学びがある

唐突ですが、私はマジックが大好きです。前田知洋さんのクローズアップマジック、セロさんのイリュージョン系マジックから、ナポレオンズのおとぼけ系マジックまで、テレビだけでなく実際のショーを観《み》に行くこともあります。

謎が解けないマジック自体の面白さが魅力でもありますが（ナポレオンズはわかりやすいですけどね！）、なんといっても彼らのエンターテインメント性の高さや綿密さが大きな要素です。

その「徹底的に観客を満足させよう」という姿勢は計算されています。そのいくつかの特徴を挙げてみましょう。

・相手の反応を見ながらの礼儀正しい挨拶（背筋がまっすぐなうえ、お辞儀が深い）

・ワクワク感を醸し出すファッション（個性的だが清潔感がある）
・フレンドリーなうえ、堂々たる態度（話しやすさがあるのに、決してくずしすぎない）
・無駄がなく、丁寧でユーモアのある説明（マジックの説明が簡潔）
・相手を退屈させないスピード感のある展開（段取りが完ぺき）
・マジックを手伝ってくれた観客へのケア（参加してくれたことへの感謝の言葉がある）

ショービジネスの厳しい競争社会の中で、トップの座をキープしているわけですから、当然、彼らのエンターテインメント性のレベルは相当高いです。しかし、経験値が必要な高度なものばかりでなく、「礼儀正しい挨拶」など、誰でも今日から応用できそうなものも含まれています。

「エンターテインメント性」というキーワードはどのような仕事をする人にも共通します。

「私の仕事はショービジネスではない」と思われる人がいるかもしれませんが、そんなことはあまり関係ありません。

どの仕事にも「相手」は必ず存在します。たとえば、上司、同僚、部下、後輩、顧客、社内の清掃作業員、通信機器の営業マン、繁忙期のアルバイト等々――相手がいる以上、

「人を満足させる」「人を楽しませる」「人を喜ばせる」という視点を持つことは、仕事で結果を出すこととリンクしています。なぜならば、**すべての仕事は、人の感情を重視することで、アイディアや収益を生んでいるからです**。「誰かを喜ばせたい、幸せにしたい」という思いがなければ、おいしいパンも、汚れが落ちる洗剤も生まれてこなかったでしょう。

エンターテインメント性をチェックしてみよう

ところで私は、興味のある人や私の専門分野の講演やセミナーがあると、たまに足を運びます。内容にも当然興味があって参加するわけですが、**私がメモを取る内容の70％は、その方のエンターテインメント性についてです**。それは、私の仕事で役立つ情報でもあり、また私自身が学びたいことでもあります。そこで、以下に私が観察している「エンターテインメント性チェック項目」の一部を紹介します。

【講演者のエンターテインメント性チェック項目】

・登場してすぐに会場全体の参加者とアイコンタクトを取っているか

（実際は正面だけしか見ていない人が多く、1人に2秒以上かけている人は少ない）

・お辞儀の深さは適当か（実際は浅い人が多い）

・身だしなみに夢があるか（実際は普段と同じような格好の人が多いが、まれに遠くの席の人にもよく見えるように、あるいはワクワク感を出すために光沢感のあるファッションにしたり、ヘアスタイルやメイクを工夫する人がいる）

・挨拶の中に、会場に来ている人たちへの謝意が具体的にこめられているか（これはわりとできている人が多いが、どの会場でも使えそうな画一的なフレーズも多い）

・質疑応答の際の態度（質問を受けたらまず「ありがとうございます」などと言えているかどうか）

・話しているときに自分と目が合うか（実際は目線が通り過ぎたというレベルが多い）

・登場時と退場時の歩き方（舞台のそでのほうでは気を抜いている人も多い）

反応力で必要とされるエンターテインメント性は、「**おもてなしの心**」です。決して「笑いを取る」ことが目的ではありません。常に相手を心地よく感じさせることが目的ですから、そこは誤解しないよう気をつけたいところです。

普段、誰かとコミュニケーションを取っている最中であっても、心地よさが提供できているかどうかを確認しながら、反応したいものです。また、予め考えていた反応で相手が喜んでいなければ、とっさの判断で違った切り口での反応を試してみるなど、失敗を恐れずにチャレンジしていくことも大切です。

笑顔を引き出せるカメラマンになり切れ!

もちろん、身近なところにも、エンターテインメント性は表れます。

たとえば、知らない人からカメラを渡されて「写真を撮ってもらえますか?」と人にお願いされたときです。

あなたは、どのように対応しますか?

ほとんどの人が、「はい、撮りますよ〜」と言ってシャッターを押すか、または無言でシャッターを押すでしょう。でも、撮られる側にとっては、思い出にしたい写真なのです。あとで写真を見たときに、楽しそうな表情のほうがきっと嬉しいはずです。

私の場合、べたではありますが必ずといっていいほど、「スマ〜イル!」と言ったり、「いいですね〜。はい笑って!　1たす1は?」など、相手の笑顔を引き出せるよう声をかけながら撮影をします。本当に素敵な笑顔が出ることがあって、私まで嬉しくなります。

逆に、私がシャッターを依頼したときに構図や光の加減まで考えたうえで、「縦でも撮りましょうか?」などと聞いてくれる人もいて、そういうときの写真はいい表情をしているものがほとんど。そのような対応ができる人には心から感謝しています。

マジックショーのような大きく華やかな舞台でなくても、**私たちの生活の中には、相手を喜ばせることができるちょっとしたチャンスが結構あるんです。**まずは、もし誰かからカメラのシャッターを頼まれたら、どんなふうに笑顔を引き出せるかのイメージトレーニングをしておきましょう。

Point

日常の生活でも「おもてなしの心」を態度で示そう。

9 人には「笑い」よりも「感動」を与えよう

感動がいちばん記憶に残る

あなたは、これまでの人生の中で、人から何かを言われたことによって、感動したことはありますか？

1つか2つはエピソードが出てくる人が多いのではないでしょうか。

たとえば……

・普段は厳しい上司から「よくここまでがんばった」と言われた
・仕事のミスで落ち込んでいたら、同僚が「朝の来ない夜はないよ」と言ってくれた
・離れて暮らしている両親から「元気でさえいてくれればそれでいい」と言われた
・恋人から「あなたがいてくれるとホッとする」と言われた

決して、派手に大笑いしたとか、ほめたおされた……ということではなく、静かで地味に聞こえる言葉であっても、言ってくれた人の「思いやり」が見えたときに、その言葉にはパワーが生まれます。

そして、そのときに聞いた言葉や、そのときに受けた感覚というのは、そう簡単に忘れられるものではありません。それは心が揺さぶられた証拠なのです。人によっては、ある誰かからの一言が、仕事や人生に大きな変化をもたらし、それによって得たものが一生の財産となることだってあるのです。

そして、心が揺さぶられるエピソードはずっと記憶にとどまります。つまり、心を揺さぶってくれた人への思いも一緒に深く刻まれるわけです。

お笑い芸人のように笑わせることが仕事だという場合を除いて、私たちが社会で人とコミュニケーションを取っていく中で、面白いことを言ってウケをねらおうとする必要はありません。**ユーモアはすばらしいのですが、「いかに笑わせるか」よりも、「どうしたらこの人は、自分と一緒にいて心地よいと思ってくれるか」に集中したほうが、相手の心を揺さぶる一言が見つかりやすいと思います。**もしその答えがユーモアであれば、面白いことを言ってみてもいいでしょう。ただ、押さえておきたいのは、人にはいろいろなタイプが存在するということです。

たとえば、笑わせてほしい、楽しませてほしいと思う人もいれば、静かで安定した沈黙を好む人もいるわけですから、相手の心地よいラインを自分で決めつけずに、どういった状況や反応で目の前にいる人が満足するかを観察していきたいものです。

感動が人を動かす

買い物中に自分都合の話をしてくる店員さんにうんざりした経験が何度かあります。

「この商品は芸能人の◯◯さんもお持ちなんですよ！」

「こちらの歴史は……（延々と続く）」等々。

話している店員さんは、とても満足そうです。

しかし、こちらとしては、私のことを中心に話をしてもらったほうが、買うか買わないかを合理的に判断できます。店員さんの中には、私を「商品を買う人の一人」とひとくくりにして対応している人もいますが、私はそういう店員さんからは商品を買いたいとは思いません。

心を揺さぶるために、「なぜこの人はこの商品に興味があるのだろう？」「どんな思いで買い物に来てくださったんだろう?」「このお客様のタイプに合わせた商品の活用法を提案してあげよう」という側面から対応をしていくことができればプロでしょう。そして、お客様に「またこの人にお願いしたい!」という気持ちを抱かせるのです。

しかしそれができず、相手を「ひとくくり」として対応している店員さんは「会計処理をしてくれた店員さん」という印象で終わってしまうでしょう。お互いに特別な印象を持つことはほとんど不可能です。完ぺきに商品説明ができるのは、むしろ当たり前のことです。そこに意識を集中していってしまっているようでは、相手との関係が深まるはずがありません。

心が揺さぶられる感動体験は、人を動かします。話すことが得意ではないとか、人見知りしてしまうなどということはあまり関係ありません。自分をよく見せようとすることよりも、**相手の心を揺さぶることに重きをおくことで、表面上ではなく、相手の心の奥にある感動のツボを刺激してあげられる人を目指していきたいですね。**

Point

笑いを取ることではなく、
相手を満足させてあげることに心と気を遣おう！

10 思ったことはそのまましゃべるな

「加工」するだけで人間関係がうんとよくなる

あなたが誰かに何かを話したり、態度に出したりすることを「表現する」と言いますね。そしてその表現自体が「その瞬間のあなたの思考そのもの」だと相手はみなします。つまり、表現は思考回路の出口なわけです。

あなたの表現を相手が見て、聞いて、感じることで「この人は～に違いない」「～という感情なのだろう」と推測します。たとえ、本人は胸の奥深くでは、出している表現とまったく違うことを考えていたとしても、**相手が推測して判断したものが、結局は世間から見た「あなたの考え」になるわけです。**

もし笑顔であれば「楽しそうだ」「喜んでいる」と思われるし、無表情であれば「何を考えているのかわからない」「怒っているのかな?」と思われたりもします。このように、人間一人ひとりは複雑な思いで生きているのですが、他人を知ろうと思うときには、わりと明快な表現部分（とくに表情や言葉）から相手の心理を読み取ろうとする傾向が強いのです。

具体的な例としては、どんなに人に優しくしてあげたいと頭で思っていても、もし表情が暗ければ、本心の「優しさ」が相手に伝わるチャンスを逃してしまうか、または理解してもらうまでに、だいぶ時間と労力がかかってしまうでしょう。

また、社内で誰かのアイディアに対して自分なりの根拠や理論を基に、ほかのアイディアで反論しようとしても、表現次第（説明、プレゼンテーションなど）では真意が正確に伝わらず反抗心を抱かれて、なかなか周囲から賛同してもらえないこともあります。

結果的にそのアイディアが日の目を見ることがなかったり、または採用されたとしても無駄に時間がかかったり、いやなストレスを抱えてしまうこともあるでしょう。

このような2つの例は、思ったことを表現するのに、相手と状況に合わせて表現を「加工」しきれていないことが原因なのです。「加工」するというのは、普段の自分の表現に「相手の気分とその場の空気がもっとよくなるスパイスを加える」という意味だと考えてください。

たとえば、プラスの感情表現を加工する場合、単調な表現だけにせず、言葉の表現を深めてみるのもいいでしょう。

（例）

・おいしい→飲み込んでしまうのがもったいないほどおいしい！
・感動しました→一生分の涙が出てしまったのではないかと思うほど感動しました
・嬉しい→今年前半の中で最も感激しました

このように、より具体的な言葉を選んでみたり、あるいは態度であれば顔の筋肉をフルに使ったり、両手を広げたり、ジェスチャーを使ったりすることをおすすめします。そうすることで、**プラスの感情表現が相手の心にぐんぐん届いていきます**。すると、自分も相手もテンションが上がっていくことがわかります。

マイナスの感情表現のときこそ、腕の見せどころ！

では、マイナスの感情表現の加工はどうでしょう。
たとえば、「あの人とは一緒に仕事をしたくない」「なんて軽薄な人なんだ」と思う相手がいたとしましょう。言葉は口に出さないよう我慢すれば何とかなりますが、態度はそうはいきません。苦手な人、嫌いな人を見る目つきが鋭くなってしまったり、話をしていて首だけが相手を向いているけれど、体全体は違う方向を向いているなど、無意識のうちに私たちは加工しないまま態度で気持ちを表現してしまい、相手を混乱させたり、不安にさせたり、敵意を感じさせてしまったりしている可能性があるのです。

そういうときは、思ったことをそのまま口にせず、浮かんでしまったマイナス感情（イライラ、ムカムカなど）はいったん頭の中で出しきって、映像として流してみましょう。そして、もしそのままマイナスの感情を相手に表現したらどうなるかを3秒だけでもいいのでイメージしてみましょう。おそらく、いいことはあまりないでしょう。むしろ、ほとんどの場合は後悔すると思います。あんなに感情的になるべきではなかった、なんであんな子どもっぽいところを見せてしまったんだろう……等々。

もし、**予行練習をしても感情を抑えられそうにないときには、とりあえず何も言わず、頭を縦に大きく2回振りましょう**。これで暗示をかけます。「言わないほうが利口だ、言わないほうが利口だ」と頭の中で呟きながら。そして、「なるほどね」とでも言っておけば、マイナスの感情は時間が解決してくれますから。

それでは、身近なシチュエーションで表現をいかにして加工すべきかのトレーニングをしてみましょう。

【練習問題】

・社内チームの中で仕事がうまくいき、嬉しい気持ちを表現するとき

（あなたの加工前の表現）→「　　　　　　　　　　」

（あなたの加工後の表現）→「　　　　　　　　　　」

さあ、いかがでしたか？　一般的な回答の一例を紹介しましょう。

【回答の一例】

（加工前）→「よかったですね」

（加工後）→「このチームの一員で本当によかったです」（相手をたてながら、よかったという気持ちに重みが増す）

思っていることをそのまま表現するのではなく、表現する前に一度考えるという習慣をつけることは、誰しもどこかで聞いたことがあるでしょう。ただ、**「知っている」のと「できている」のとでは難しさの次元がまったく異なります。**

思ったまま、感じたままを表現するのは自然なのかもしれませんが、もし感じたままでなく、「表現を加工」してからコミュニケーションを取ることができれば、失言や失態を回避することができますし、あなたのプラスの感情表現を見て「この人といると楽しい」と、これまで以上に感じてもらえるでしょう。そしてあなたの表現の豊かさによって、相手に「知性」や「個性」を印象付けることも可能なのです。

自分にとってよい環境を作るためにも、賢い人ほど表現を加工していると覚えておくといいでしょう。

Point 表現を「加工」すれば、人はもっと賢く魅力的になれる！

11 「一人反省会」のできる人になろう

反省の種類には2つある

「反応力」という言葉を研修やクライアントに提唱している私ですが、これまで順風満帆だったわけではありません。「この人は、違う反応のほうが嬉しかったのかも」「責めるのではなく、共感すべきだったのかも……」など、迷いや失敗、後悔も多々あります。

なぜもっと相手を理解できなかったのか、なぜもっと相手の気持ちに集中できなかったのかなど、仕事の帰り道には、一人反省会と称して振り返りをすることがほとんどです。

逆に、とっさの反応が功を奏して関係が深まったという実感がつかめたときには、反省会の中で一人にやけながら喜びをかみしめることもあります。

「とにかく、やってみる！」

この思い切りがなくては、世の中でいろいろな人と接することはできません。**失敗は反省会で分析して、次のステップで生かせばいいだけのことです。**しっかりと反省会でミスを「受け止め」たあとは、Ｍｏｖｅ Ｏｎ（前へ進もう！）の精神を持ち続けていきましょう。

ただ、反省会には大きく２つ種類があると思っています。

①自分の責任としてとらえる反省
②他人の責任としてとらえる反省

いかなる理不尽なことがあったとしても、「自分の責任」を見つけ出すことができなければ、人として成長できないものです。ですから、何があっても、自分にもどこか原因があるのではないかと、自分を振り返れる人でありたいものです。

もちろん、「自分は正しい」と、自分のしたことに自信を持つことも大切です。ただ、自信というのは、自分の強みだけでなく、弱みも十分にわかっている人にこそ宿るものだと思います。弱さと向き合うことは、苦しいことではなく、むしろメリットであるといえます。

スポーツやダイエット、勉強でも、限界や弱みを知っているほうが、目的の途中で力尽きて挫折《ざせつ》しそうになってしまったときなどに軌道修正がかけやすくなります。「そうか。だからうまくいかなかったんだ！」と、気づけるからです。もちろん、そうなる前に、対策を考えてから取り組むことも可能です。

弱さを知ることで、ダイエットにも成功する！

私はこれまでに何度もダイエットにチャレンジした経験がありますが、どうしても厳しい食事制限などが続かずに、諦めてばかりでした。しかし、ある栄養士の先生から「スナック菓子も食べて大丈夫ですよ。ただ1週間に5回食べていたとしたら、それを3回に減らしてみましょう。そして食べるときには、野菜ジュースも一緒に飲んで、栄養分を摂《と》りましょうね」と言われ、「ダイエット＝何でも我慢」という公式が消えて、気持ちがだいぶ楽になったのです。

これまで、私のダイエットについての弱みは「忍耐力がない」ことと思い込んでいましたが、その「忍耐」のレベルをしっかりと理解して、先生のおっしゃるように無理なく設定できるルールに沿ってダイエットを考えればよかったのです。

「ここまでのレベルは我慢できる」「この程度なら続けられる」といった弱みの細分化が

できていなかったので、極端な食事制限のルールを自分に課してしまい、自滅状態にあったわけです。

こんなふうに、弱みを発見することは、自分のペースで目的を達成できる魔法のようなものです。弱みにこそヒントが隠されていると言っても過言ではありません。

うまくいったとしても、「一人反省会」をすることで、そのときには気づかなかったことに気づける場合もあります。**いったん時間をおいてから、自分を振り返ることで、一つひとつの経験が身についていくわけです。**「終わったからもういい」というのでは、せっかくの経験がもったいない。帰り道はなるべく、一人で反省会をする習慣がつくとよりいいでしょう。

Point

弱みの細分化が、目標達成へのカギになる！

12 ストレス・フリーな人の「受け止め方」

オリジナルのデータバンクを作ろう

一つとてもシンプルな質問をさせてください。

相手、言葉、考え方を「受け止める」のと「受け入れる」という意味にはとてつもなく大きな違いがありますが、あなたは、この2つがどのように違うと思いますか？

その答えを導き出すために、私たちが理解すべき事実があります。それは、自分を含めて人の心は揺れやすく敏感であり、また頑固なわりに傷つきやすいということです。もちろん、「私はそんなことないわ！」と自信がある方もいるかもしれませんが、どんなに優れた人であっても、外からの影響（他人の存在、社会からの評価、誰かの言葉や態度など）に対して、まったく何も感じない人は存在しないでしょう。

それでは、この違いを体感していただくために、以下のことを直感で答えてください。

旅行好きな（あなたの好きなものでしたらなんでもかまいません）あなたに対して、あなたの友人がこう話します。

あなた「私、旅行が大好きなの！」

友人「旅行なんてお金と時間がもったいないわ」

つまり、友人があなたの好きなものに対して、またはあなたにとって価値のあることに対して「それは無駄だ。意味がない」と言っているわけです（悪意があるにしろないにしろ）。

さあ、あなただったら、こんなときどんなふうに友人の話を自分で消化しようとしますか？

私としては、このような場面では、相手の言っていることを「受け止める」ことをおすすめします。「受け入れる」必要はありません。

それでは、この2つの言葉の違いの解釈をまとめてみましょう。

①受け止める

自分にはしっくりこないことを心の奥に入れ込んで、自分の考えと比較して混乱するのではなく、表面的に、また一時的に相手や相手の言ったことを「興味」として受け止める。「そういう意見もあるんだな〜」というレベル。

②受け入れる

自分にもしっくりくることであれば、心の奥に落とし込み、その相手の存在や、言った内容を体に浸透させて、生涯の財産を得られた喜びを味わう。自信を強化させたり、強い充実感を感じたりするレベル。

こんなふうにして、何もかもを大事な自分の心のテリトリーに入れ込んでストレスをためるのではなく、しっくりこないことに対しては、**単に音声として、あるいは「世の中にはいろいろな人がいる」というマーケティング調査程度にとどめておけば、いかなる人の言葉や態度に対しても、前向きに反応できてしまうのです**（私はこの調査結果を「珠央データバンク」と言って楽しくストックしています）。

社会に出れば様々なタイプの人の言動に一喜一憂する人も少なくないでしょう。心ないことを言われることだってありますし、感情だけで人から責められることだって多々あるでしょう。そこで、「受け止める」と「受け入れる」という似て非なる2つの意味を理解してコミュニケーションを取っていくことで、本来感じてしまうストレスを減らして、もっとおおらかな気持ちで相手と接することができるのです。

「受け止める」ことでストレス・フリーになる！

私自身、この考え方をするようになってだいぶストレスのない生活を送れるようになりました。たとえば、「なぜまだ結婚しないの？」（今は独身です）、「お酒が飲めないなんて寂しいですね」（ワイングラス1杯で頭がクラクラしてしまうほどです）などと言われることがありますが、こんなとき以前の私は「まったく余計なお世話だわ」と多少のストレスを感じていました。でも、今は余裕でかわせます。**「そういう意見の人もいるのね！」「まあね。その意見も一理ありますな」などと笑って流せます。**

このように、ストレスを感じてしまいそうなことを言われたとしても、心の浅い部分で受け止めているので、ストレスを感じることはまずありません。人の態度にいたっても同様です。

また、ストレスを感じるような人の言動は、使いようによっては、「話のネタ」としてだいぶ仕事で活用できます。ですから相手を不快にさせるような癖のある人との出会いは、私にとってはネタの宝庫です。コンサルティングや研修、ブログネタや執筆などを通して大いに役立てています。そして「受け止め」さえできていれば、心はまず守られますから安心です。

ただ、人と出会った最初から「この人とは馬が合いそうにない」「世界が違う人だから」「私は聞いたこともない話だから」と言って、浅い根拠だけで「受け入れる」ことを拒否してしまわないよう気をつけたいものです。なぜならば、**すべての人との出会いには、深い学びが隠されているはずですから。**

「受け止め」と「受け入れ」の使い分けは、とくに人一倍傷つきやすいと思っている人にとっては、自分らしさを保護してくれる大いなる盾となることでしょう。

Point

ストレスを感じたら、浅い部分で受け止めれば十分！

13　1秒で「知性」に差がつく時間活用法

「1秒」の長さを体感しよう

突然ですが、普段通りのスピードであなたの名前を声に出して言ってみてください。

「〇〇〇〇（あなたのお名前）と申します」

それでは、直感でお答えください。今おっしゃった自己紹介にかかった時間はどのくらいだと思いますか？


答えは2秒です。いや、2秒以内だった方もいるでしょう。

それでは、次の挨拶を声に出して普段と同じスピードで言ってみてください。

「おはようございます」

「ありがとうございます」

再度、直感でお考えください。それぞれ、どのくらいの時間がかかったと思いますか？

答えは1秒です。いや、1秒以内だった方もいるはずです。

普段話している言葉のタイムを測定することは、ほとんどの読者にとって珍しい経験だったと思います。

なぜ、私がこのように言葉のタイムを体感していただいたかというと、お金や消費カロリーと同じようにコミュニケーションを数値感覚でとらえることで、より反応上手になっていただきたいからなのです。

私がコミュニケーション関連の研修講師をしていると、自信のある人でも話が長すぎたり、理論的なのはいいけれどボリュームが極端に少なすぎたり……と、内容の精度と長さのバランスが取れていない人が目立ちます。それは、「自分がどのくらい話をしているか」という時間意識を持たずに話をしていることが最大の原因なのです。

言葉の反応における時間の考え方は、お金やカロリーを考えるのと同じ感覚で行えばいいのです。私たちは、お金のことになると細かく計算して、無駄な出費を抑えます。またカロリーを計算しながら食事を摂るなど「数字」で物事を考える部分に対して、抵抗感がありません。

それが、コミュニケーションとなるとたんに、つい数字感覚を持たないで反応してしまうのです。その結果、「あの人は話が長い」「あの人の挨拶はいつも短すぎる」などという評価につながるのです。

ですから、私は1分間スピーチの練習をする前に、まずは「1秒、3秒、10秒、30秒」といった細かい時間間隔を体感するトレーニングをコンサルティングや研修に組み込むようにしています。

たとえば、会議終了まであと1分しかない中で、報告をまとめなければいけなくて焦っているときや、留守番電話に20秒で確実にメッセージを残したいときなど、勘に頼ってドキドキしながら早口で話してしまうことがあるかと思います。でも、**1秒がどれほどの長さかを体でわかっていれば、余裕を持って対応することができるのです。**

日常生活の中で時間意識は鍛えられる

普段の生活の中から「1秒でできること」「3秒の長さ」などと意識しながら生活してみるだけでも、だいぶ視野が広がります。たとえば、歯ブラシに歯磨き粉をつけるまでの時間、コーヒーカップにお湯を注ぐまでの時間、電話の呼び出し音の1回の長さ等々。

何となくの感覚や勘だけに頼らず、自分の体を使って、実際に時間を体感してみましょう。

ちなみに私は電動歯ブラシを使って歯を磨いていますが、2分たつと自動的に「ピピ」と振動で知らせてくれる機能がついています。これは、この歯ブラシのメーカーが定めた「最も効果的な歯磨き時間」が2分だからだそうです。

翌日に研修を控えていて、研修冒頭の自己紹介には何を話そうか……と考えているときには、歯を磨きながら自己紹介や、研修目的、1日の流れの説明を頭の中でイメージして、「ピピ」という2分間を活用しています。というのも、研修の冒頭での自己紹介は2分以内にしないと聞き手が疲れてしまうからです。よって電動歯ブラシの2分間はこういうシチュエーションには役立ちます。

また、通勤中には、電車の駅と駅の間の2〜3分を使って研修の締めの言葉を考えるなど、あえて「考える時間」を割こうとしなくても、日常生活の中にはあらゆる時間の区切りがあるので、これらをトレーニングに生かすことができるのです。携帯電話の留守番電話サービスを利用するのも得策です。20秒間で、いかに簡潔に相手へ用件を伝えることができるのか。20秒は1分間の3分の1ですから、20秒感覚がつかめれば、おのずと1分の感覚もつかみやすくなってきます。

こういった何気ない時間を生かすことで、コミュニケーションにおける「時間」の使い方がスマートになります。

タイム・イズ・マネー！　刻一刻と1秒という貴重な時間があなたの目の前を通り過ぎています。もうチャンスを逃さないでくださいね。

Point

1秒がわかる人は、1分にも1時間にも強くなれる。

1秒刻みで考える習慣をつけよう！

14 自分のコンセプトを言える人になる

自分に「コンセプト」がある人が強い！

ビジネス社会では、人材派遣会社やコンビニ、アパレル企業、自動車産業、電気メーカーなど、他社との競争が激しい業界はたくさんあります。そして、最新技術や斬新な企画、プロモーションなどによって消費者に「選んでもらえる」よう、自分たちにしかないコンセプトを展開しています。

そもそも、洋服は洋服、車は車、テレビはテレビ……といったように、商品自体の用途やメリットはざっくり見てしまえば、さほど大きな差はありません。でもたとえば、なぜ車でもトヨタを選ぶのか、テレビでもシャープを選ぶのか、と聞かれたら、その会社のイメージや商品のコンセプトに共鳴できたからこそ決断したという人も少なくありません。

「自分たちはエコロジーがテーマだ！」「20代の女性向けのサービスだ」「業界初専業主婦向けの人材派遣会社だ」などと、同業界の中で埋もれてしまわぬよう、しっかりと自分たちのコンセプトを提示しているから、選ばれているのです。

私たちもこれに似た感覚を持っています。誰かを必要としたり、尊敬の念を感じたりするときに、無意識のうちに「中村さんは私にとってメンタルサポートの達人」「中野さんは仕事におけるマネジメントのアドバイザー」「吉澤さんは恋愛相談」など、相手の持つコンセプトを発見して判断していることが多いのです。

判断する際には、普段の会話や受けてきた影響を基にしています。ですから、普段の反応力の中に**「私は〜の分野で人から必要とされたい」**といったコンセプトを持っておくことで、ピンポイントでそのコンセプトに魅力を感じる人たちから選ばれやすくなります。

しかし、一般的には自分のコンセプトが定まっていない人が非常に多いように思います。相手に合わせようと心配りをするのはかまいませんが、自分にコンセプトがないままだと、心配りではなく心移りしてしまって、人の意見に対して何を基準に判断したらよいのかわからなくなってしまいます。そうなると、相手と深い会話ができるチャンスを逃してしまうことにもなりかねません。

「迅速なクレーム対応といえば渡辺」「インターネットの問題解決といえば西川」というふうに、社内でスキル的なコンセプトを持つことも一つです。あるいは、キャラクターでコンセプトを持つとしたら「スッキリするまでとことん話を聞く吉田」「ソフトにモチベーションアップしてくれる人といえば内田」などでもいいでしょう。

そして、コンセプトは自分の状況や立場、目的に合わせて選ぶべきです。仕事では会社役員をしている人がいるとしましょう。帰宅すれば、3児の父親。だとすれば、ビジネス上のコンセプトと、父親、夫としてのコンセプトが違って当然なのです。

また、もし「厳しさ」がコンセプトに必要だとしたら、基準は何か、そして理由や目的、厳しくする必要性を明確に整理しておくといいでしょう。そうすれば、感情的になったときに、コンセプトに基づいた厳しいアドバイスなのか、あるいは感情に翻弄《ほんろう》されての厳しい言葉なのかを判断できるからです。そして、失言や失態にならず、考えなしに慌てて態度に出して後悔するというリスクを回避できます。

実際にコンセプト表を作ってみよう

また、コンセプトを持つことで、話や生き方に一貫性が表れます。その一貫性こそが、「ブレない人」という印象になって、「頼れる人」という存在へと変わっていくのです。

ただ、その肝心なコンセプト自体が独りよがりでなく、周囲の人たちにとってもメリッ

□コンセプト表

誰に対して？	コンセプト	毎日必ずすること
（例） お客様	健康的で知性がある	・自分から先に元気な挨拶をする ・相槌は「うん」ではなくすべて「はい」
（例） 夫	精神的なサポート	・見送るときには「今日もがんばってね」と言う ・眉間にしわを作らない
（例） 自分の子ども	何でも相談できる大人	・1日3回はほめる ・叱ったあとは必ず「あなたが大事」ということを声に出して言う
（例） 仕事の仲間	しっかり者	・スーツにシワを作らない ・常に5分前行動
（例） 恋人	ともに成長できる存在	・「できない」「ムリ」と言わない ・1日1回は感謝していることを声で伝える

トがあるかどうかを今一度確認する必要はあります。

それでは、あなたのコンセプト表を作ってみましょう。

「誰に対して？」は具体的に、「コンセプト」は覚えやすく簡潔なキーワードにしましょう。「必ずすること」では、言葉や態度で徹底して実行する約束事を考えます。

「コンセプト表」の考え方は、私がプライベートコンサルティングの中で、クライアントにも実践してもらっていることの一つです。**徹底的に「約束事」を守り抜くことで、忍耐力がついてきます。**それは、相手に対して我慢する忍耐ではなく、**自分のコンセプトに正直に行動するということの忍耐です。**

どのようなことであっても、続けるからこそ力になります。自分で続けていきやすいように、背伸びせず、自分に合ったコンセプト表を作り、実践してみましょう。続けることで、自分自身だけでなく、確実に相手からも「コンセプト」を理解してもらえるようになること請け合いです。

Point

決めたことを毎日地道に実行し、「自分のコンセプト」を作り上げよう！

15 心と体の筋トレをしよう

理想に近づくために欠かせない体力って？

あなたは自分の「内外の体力」をどのくらいご存知ですか？　私が言う、「内外」という意味を次にまとめてみましょう。

■外側の体力……肉体的、体力的な側面
■内側の体力……精神的、思考パターンの側面

子どものころに行ったお化け屋敷ってドキドキしましたよね。それは、何も見えないからです。「何があるんだろう？」「何かにぶつかったりしないかな？」「床に穴が開いていたらどうしよう？」など、自分が立っている場所、進む場所の状況がわからず、不安なわけです。

大人になって、自分の人生を考えるときも同じようなことが言えます。自分の心と体の調子や、よいときと悪いときのコンディションがわかっていれば、それだけで安心できます。風邪をひきやすい人は「雨だから散歩はやめておこう」、胃腸が弱い人は「辛いものをたくさん食べるのはやめよう」、忙しいとストレスがたまりやすい人は「今週は夜の予定を入れるのはやめよう」などと、先回りして自分の通りやすい道を作っておくことが可能です。

さてダイエットでも、試験勉強でも、「目的」と「現状把握」が綿密にできていないと本当に強化、改善したい部分に焦点を絞って目的を達成するのは難しいですよね。

たとえば、ダイエットで「顔をシャープに見せたい」という目的を持ったとしましょう。体重さえ減ればいいと思って「食事制限」を実践し、実際に体重が減ってきたあとに鏡を見てみると……思い描いていたスタイリッシュな感じの「シャープ」な印象ではなく、「げっそり」と老けて、貧相な印象になってしまったという話を聞いたことがあります。

そう、「顔をシャープに」という目的を達成するために、何が必要なのかを導き出すには、まず現状を知っておかなければいけなかったのです。

自分の顔を分析すると、顔が大きく見えるのは、寝不足や疲れがたまって顔がむくんでいるために起こる場合や、似合わない髪形によって顔が丸く見えてしまっている場合など、必ずしも答えが「体重を減らすこと」になるわけではありません。

ですから、現状を把握できていれば、食事制限ではなくて、むくみを取るためのマッサージだけで効果が出たのかもしれませんし、あるいは「食事管理」、つまり量を減らすのではなく、あごの運動に効き目のある硬い食べ物を摂ったり、かむ回数を増やした食事の摂り方を実践したり、ファッションやメイクでカバーしたりと、「シャープ」な印象に、より合理的に近づくために、自分にとって適正な別の選択肢も考えられたのです。

自分の内外体力を把握しておこう

前述した手段や方法のほかにも、自分にとってテンションの上がる言葉を手帳に書いて眺めるだけで、「顔をシャープに見せる！」ということへのモチベーションが上がる場合もあります。あるいは、「自分は飽きっぽい性格だから、なかなか成果が出なくてものんびりやっていこう」と思ったほうがストレスをためずに続けられるという人もいるでしょう。これは、自分の「内側」の側面を考えていくことの一例です。

そして、「また会いたい」と思われる人になるためにも、まったく同じことが言えるのです。面倒がったり、諦めたりして自分自身から目を背けずに、今こそ自分を大事に考えてみましょう。
それでは、今の自分をどれだけ理解しているかがわかる簡単な『自己診断表』をご紹介します。なるべく直感でお答えくださいね。

【知っておきたい自分の自己診断表】

■外側の体力

Q1・平熱は?
Q2・体調がよいときの具体的な状態は?
Q3・体調が悪いときの前兆は?
Q4・現在の体重と体脂肪率は?
Q5・気分よく続けられるウォーキングの時間と距離は?
Q6・気分よく続けられるジョギングの時間と距離は?
Q7・現在の顔と手のスキンコンディションは?

Q8・両目の視力は？
Q9・リカバーに必要な日々の最低睡眠時間は？
Q10・体にいいことを1日3つ以上していますか？

■内側の体力

Q1・現状の何に満足していますか？
Q2・現状の不満は何ですか？
Q3・口癖は何ですか？
Q4・言われて嬉しい言葉は何ですか？
Q5・言われて傷つく言葉は何ですか？
Q6・何をしているときが落ち着きますか？
Q7・好きな香りは何ですか？
Q8・好きな音楽（音）は何ですか？
Q9・あなたにとって気分が安定しているというのはどういう状況ですか？
Q10・やる気が起きないときはどうすれば前へ進めますか？

自己診断表の内容以外でも、今後もっと自分自身に質問をしてあげてください。そして、自分自身を知ることで、体と心を強くしていきましょう。

Point

自分への質問を繰り返して、内外の筋肉を強化しよう！

Part 2

「また会いたい」と思われる人の**見た目**のルール

16 最大のポイントは「良質なDNA」の見せ方にある

「良質なDNA」の持ち主に人望が集まる

皆さんは、どのような人に「この人は好感が持てる！」と思いますか？

ずばり、私は「良質なDNAを感じられる人」であるかどうかだと思っています。

あなたの周りで、仕事がうまくいっている人や、面接がうまくいく人、また異性からモテモテの人などを想像してください。どの人も、「健康的」に感じる何か（目の輝き、堂々たる姿勢、しなやかな体の動き、健康的な肌の色など）を持っていませんか？

私たちは、病気一つしないような健康的で、たくましく、生き生きと堂々としている人に対して、「安心感」や「憧れ」を抱くものなのです。

そして、「こういう人がそばにいてくれたらな」「こういう人と一緒にいられたら楽しそうだ」「この人とだったら（問題が発生しても）やり遂げられそうだ」と、考えるようになっていくわけです。

さらには、健康的に見える人と言うのは、企業面接の際や仕事仲間からは「バリバリ働いてくれそうだ」「忍耐力がありそうだから、長く働いてくれそうだ」「売り上げに貢献してくれそうだ」と思われるでしょう。また、異性からは「健康的に楽しく生活できそうだ」「この人との子どもなら健康になりそうだ」「周囲の人も認めてくれそうだ」などと思われるので、発展性のある関係が作りやすく、パートナーとめぐり会えるチャンスも広がります。

逆に、誰しも不安や恐怖心しか感じられないような人とは一緒に時間をともにしたくはないはずです。**生まれや、学歴、職歴などとは関係なく、ただ「健康的に見える」ということだけを徹底するだけで、人の人生は好転していくのです。**

「良質なDNA」は自分で作れる！

「健康でいること」は当たり前のことのようですが、実は普段からの自己管理や、精神的強靭《きょうじん》さも問われるため、容易なことではありません。そのうえ、本人が健康であるのと、相手が客観的に「健康的な人だ」と思ってくれることにはズレがあります。ですから、そのズレを見極めて自分で「健康的な印象」を演出できる術《すべ》を知っておくことに価値があるわけです。

ただ、ここで私が言っているのは、先天的によいDNAを持つ、運の強い人のことではありません（このような人の中には、決して健康そうには見えない残念な演出をしてしまっている人たちも多く存在します）。たとえ完全無欠なDNAでなくとも、良質なDNAを持っていそうな人であると見せることができたとしたら、それ自体が、「良質なDNAを持つ人」という客観的な評価になります。ですから、いかにして健康的で、たくましくサバイブできそうかという安心感を与えることが重要なのです。

背が低い、鼻が低い、目が細い……こういったことで悩む必要はありません。「良質なDNA」というのは、ファッションモデルのような顔や体の造形をいうのではないからです。あくまで、「生きるオーラ」を感じさせているかどうかの問題です。

少しくらいの激務には耐えられそうだとか、ストレスに強そうだとか、雪山で遭難してもこの人なら助かりそうだとか、無人島でなんとか生きていけそうだ、などという「ちょっとたくましそう」という印象を持ってもらえるかがカギなのです。

私自身が造形のことだけで文句を並べれば、「あと足が3センチ長かったらな……」「笑いジワがどうにかならないかな……」「食べすぎでできてしまったニキビはどうにかならないかな……」など、キリがありません。ですから、今ある自分の体としっかりと向き合って、感謝することが演出の第一歩です。

ないものや足りないものにがっかりするのではなく、あるものをどのように見せていけばよいのかというふうに、気持ちを転換していきましょう。ちなみに、先ほどの私の「文句」に関しては、**6センチのヒールをはくことで、足を少しでも長く見せようとしていますし、笑いジワは、予防対策として朝晩だけでなく日中もアイクリームを薄く塗ったりしています**。でも、笑うこと自体はいいことなので、ほとんど気にはしていません。**ニキビに関しては、食生活の改善とメイクでカバーしています**。ほんの少し、手を加えれば、このように簡単に「良質」であるかのように変わっていきますから、ぜひ読者の皆様も、諦めずに前向きに演出を楽しんでみてほしいものです。

ここでは、具体的に「良質なＤＮＡ」について説明していきます。

【良質なＤＮＡイメージの公式】

良質なＤＮＡを持つ人＝（１）優れた肉体的機能×（２）優れた生命力のオーラ

（1）優れた肉体的機能とは

・肉体的なたくましさ

必ずしも「背が高くないといけない」「筋肉隆々でなくてはいけない」という意味ではありません。実際の身長よりも数センチは高く大きく見せるために、女性の場合は、目の輪郭を強調するアイメイクと高めにつけるチークや頭頂部を膨らませるヘアスタイルがおすすめ。男性の場合は、ズボンの長さは短すぎず、長すぎないようにすることと、太ももに少しゆとりがあるくらいの太さでサイズ選びをして、足を長く見せることです。

また実際には筋肉がなくても、あるかのように体にフィットして、無駄な隙間を作らずに、すっきりと見せてくれる洋服のサイズ選びをすることが大切です。

・堂々たる骨格

全体のバランスがほぼ左右対称で、直立したときの姿勢を地面に対して垂直にします。背骨が伸びて、肩がしっかりと開いている状態が理想的です。

（2）優れた生命力のオーラとは

・凛《りん》とした表情

表情に力があることを指し示します。何か心の奥底にある情熱や意志を感じられるような表情のオーラに、人は引きつけられます。ボーッとしていて気力のない表情は、誰の目にも留まりません。とくに人前では、目と口に少し力を入れておくとよいでしょう。

・しなやかな動き

一つひとつの動きが自然でのびやかであると、体が大きく見え、積極性が感じられて、存在感がアップ。小さな動きは、消極的でこそこそとした感じがしてしまいます。

Point

健康的だと思われることで、人生が大きく変わっていく！

17 表情の印象は5ミリで変わる！

人の印象は3秒で決まる！

私が講師をするコミュニケーション系の研修やセミナーに参加する方に、研修が終わったらアンケートを取ります。すると、「講師について」の欄には、ほぼ毎回「吉原先生の笑顔がよかった」「笑顔に安心感がある」「表情が豊かだった」という内容が書かれています。

とても嬉しい結果ではありますが、ここで自慢話をしたいわけではありません。**実は私はある考え方をしていることが功を奏して、毎回このような結果を出すことができているのです。**

それを明らかにする前に、「表情」が及ぼす影響に関して話をしましょう。それでは、ここで一つ簡単な質問をします（もう皆さんも質問には慣れてきましたね）。

Q１．下の写真のどちらの女性のほうが魅力的だと思いますか？

Q２．なぜそのように思われたのですか？


おそらく、Q１では99％の方がBとお答えになったのではないでしょうか？

そして、Q２では、どのような答えでしたでしょうか？　「目元が優しいから」「口元が上がって明るくなった」などという意見が多いでしょう。

そうです。無表情のAに対して、Bでは口角を５ミリほど上げることによって、頬の位置が高くなることで若々しさが増し、それによって目がカーブしてソフトな印象へと変わっていったのです。

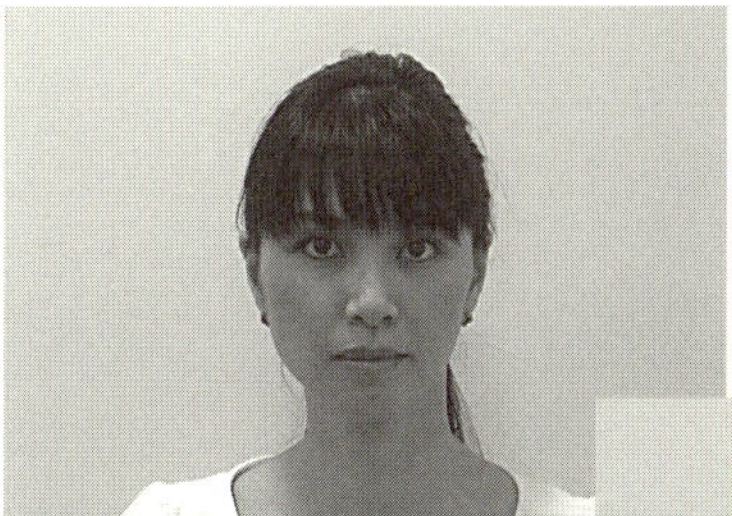
A

B

「人の印象は3秒で決まる！」なんて言われています。声に出して3秒を測ってみてください。

チッチッチ。

この瞬間に、初めてあなたの表情を見た相手の頭の中では、「表情がよくて好感が持てる人」であったり、「表情が暗く印象が薄い人」などという残念な印象になったりもします。出会いのたびに、「チッチッチ」という秒針の音を、心の中で鳴らしておきたいものですね。

さて、口角を引き上げるのになぜ5ミリなのか……。**それは、相手に「この人は笑顔だ」と認識してもらえるための最低数値だからです**。これ以下ですと、ほとんどの人が、笑っているのか無表情なのか判断ができません。上限はありません。ただ、毎回鏡を見て、「ここが5ミリ」と言って相手と向き合うことはできません。あくまで感覚的な目安としてでかまいません。

そして、なぜこの数値にいたったかというと、私がコンサルティングや研修先で、「口角を上げて印象のよいスマイルを作ってみましょう」と言ったところ、当然のことながら、それぞれの表情にばらつきがあったのです。

そこで、イメージしやすい数値を使って言ってみたところ、ほとんどの方が上品な表情を作ることに成功したのです。前述したように、**5ミリではなく、1センチでも3センチでもいいわけです**。肝心なのは、自分の表情の、どこがどのように変化すると、どのような印象になるのかを客観的にビジュアルで理解し、イメージできることなのです。

今すぐ使える「プラス30％」の魔法

たとえば、商談などの緊張した場面では「今5ミリだけど、プレゼンの自己紹介は3センチ上げていくぞ」などと思えると、筋肉を引き上げる運動をいくらかイメージしやすくなります。ですから、皆さんも、鏡を見て、実際にどのくらい引き上げると、どのような印象なのかを実験してみてください。

顔の大きさや、パーツによって、同じ1センチでも印象は異なります。自分の変化をビジュアルデータとして脳にインプットしておきましょう。

そうそう、秘密にしておいた「ある考え方」の答えをお伝えします。それは、ずばり**「自分が笑顔と思っている状態に、プラス30％の力を入れる」**ということです。

知っておきたいのは、自分が感じる「笑顔」と、人が感じる「笑顔」のものさしは極めて違うという事実です。さらに、自分で思い込んでいる表情は、客観的に見てみると、意外と中途半端なものだということです。あなたは、証明写真を撮影したとき、想像以上にこわばって暗い表情で写ってしまっていたという経験はありませんか？

自分では「しているつもり」でも、相手にちゃんと伝わっていないことが多いのです。だからこそ、自己満足に浸らず、現状の笑顔レベルに「プラス30％！」を実行してみるのです。

ですから、私は毎回、ほぼ100％相手の方へ自分が表現したい気持ちを感じ取ってもらえるのです。そのくらいしないと、自分の表情の意思はわかってもらえないという考え方を徹底しているというのが、種明かしです。

不思議なことに、そのようにして表情を動かしていると、思考にもプラスのスイッチが入ってしまうものです。たとえ100名のビジネスマンを目の前にした講演があって緊張していても、「プラス30％」にして笑顔を出すと、気分も上がって、声も力強くなり、自信が味方になってくれるのです。さらには、見ている人たちへも笑顔は伝染します。

表情は、言葉で伝えたいことを代弁できるプレゼンツールです。会話の内容が明るければ、口角を引き上げて……さらに30％アップでキープです。

もし、会話の内容がシビアであれば、表情もそれに合わせます。そういうときには、唇を軽く閉じて、やや眩《まぶ》しそうな表情をすることで、目に力を入れて眼差《まなざ》しを力強くしてみましょう。

表情は、感情のままに動くとも言われていますが、その逆で、表情の動きから感情が作られるという説もあるくらいです。「作る」というと、わざとらしく聞こえるかもしれませんが、**相手とのコミュニケーションでは、表現が明快でわかりやすいほうが信頼してもらえる可能性はぐんと上がります。**いつも難しく神妙そうな顔つきでは、相手が困惑してしまいます。

笑うときは笑う！　真剣なときは真剣に！　これがいちばんではないでしょうか。

Point

よい表情は口角を最低5ミリ上げる。さらにもう30％の力を入れよう！

18 表情は携帯カメラで鍛える

自分の感情は90％以上の確率で相手には伝わっていない

みなさんは最近、鏡で自分の表情をチェックしたことがありますか？

まずは鏡を見ないで口角をほんの少し上げ、「優しくて上品な表情」を作ってみてください（実際にトライしてみてください）。

それでは、その状態をキープしたまま、鏡でその表情をチェックしてみてください。さあ、鏡に映ったあなたの表情を客観的に見たときに、「うわ〜、なんて上品な表情なんだろう！」と絶賛できますか？

そのような方もいるかもしれませんが、多くの方は客観視してみると、評価が低くなるのがほとんどです。私はこれまで、様々な受講生やクライアントに対してトレーニングをさせていただきましたが、**「自分ではやっているつもり」と「客観的な印象」には大きなギャップがあることを常々感じてきました。**

それは、表情だけでなく、声の感じや、話し方、会話の内容にいたるまで、「自分ではやっているつもり」でも、本人が伝えたい思いや感情が90％以上の確率で、正確には相手に伝わらないのです。

まず自分の体が、思いや感情に対してどのように反応して、どのように人に感じてもらっているのかを知ることが大切です。反応というのは、「相手が感じたことがすべて」です。いくら自分では「感謝の気持ちを伝えたい」と少しでも明るく接しようとしていても、相手が「表情が暗いな」「声が低くて元気がないな」と思ってしまえば、その評価で関係が構築されてしまいます。

ですから、自己満足や思い込みから脱却して、**「確実に相手が認めてくれるレベル」**に自分の反応力を磨いていかなければならないのです。

携帯カメラで自分を撮ったこと、ありますか？

仕事で研修の講師をしていると、いかに人が自分の思い込みによって表現をしているかに気づかされます。たとえば、表情を柔らかくするトレーニングで「あいうえお」をわざと大きく口を開けてもらう場面でのことです。

「はい。それでは変な顔を気にせずに、思い切り大きく口を開けて発声してみましょう」と私が指示すると、たいていの受講者は大して口を開かずに発声します。そこで、発声するときに鏡を見てもらうことにすると、意外に口を開いていない自分に気がつくのです。

つまり、自分がどのようになっているかをイメージできないままでトレーニングをすることは、時間を無駄にしているのと同じです。早い段階で、自分がしていることを、鏡またはは写真やビデオなどで確認することで、遠回りせずに目的の自分像へ進むことができるわけです。

そして、「ここまでしないと相手は笑顔と思ってくれないだろう」「ここまで背筋を伸ばさないと姿勢がまっすぐだと思われないだろう」というイメージを頭に叩き込むのです。そして、そのイメージと、「やっているつもり」の自分とを常に比較し続けていくのです。そうすれば、いつかその2つのギャップが埋まっていき、イメージ通りの自分の姿が自分のものになっていきます。

私が便利だと思うのは、携帯電話のカメラ機能です。撮影も簡単ですし、写真を保存したり、確認したりするのも簡単です。さあ、まずは口角を上げた表情を撮影してみませんか？　きっと、新たな発見があるはずです。

Point

思い込み笑顔にさよならし、
誰からも認められる最高の笑顔へ！

19 姿勢が運勢を左右する

「姿勢」が幸運を呼び寄せる！

「良質なＤＮＡ」でもお話ししたように、「姿勢」はあなたの肉体的機能の印象を左右しています。しかし、姿勢を見ただけで、「仕事を一緒にしたい！」「パートナーとして信頼できそうだ！」「振り向いたらイケメンに違いない！」「生きるエネルギーを感じる！」と相手に思わせることができる人は、意外に少ないのが現実です。

でも実に簡単に「良質なＤＮＡ」を感じさせる姿勢を作り出すことはできるのです。

そこで、私が、３つだけ「健康的でエネルギーを感じる姿勢」のポイントを挙げるとしたら以下の通りです。

①両足のかかとをつけて足と背中をまっすぐに伸ばす

②肩を開く
③顔を上げる

最低限、この3つを覚えていただけたらOKです。

では、先ほどの3つのポイントが完ぺきにできた方へは次のステップを紹介します。

①お尻に力を入れる（腰をそらせたり、おなかが出ないよう）
②あごを正面より1〜2センチ内側へ入れる（目力がアップする）
③指先を自然に伸ばす（男性は手をズボン脇の縫い目におく、女性は重ねてヘソよりやや上）

姿勢が変わるだけで、おおらかさ、知性、経済力、ポテンシャルなどの印象レベルが上昇して見えます。

しかも、姿勢をよくすることで、臓器が正常な位置にくるわけですから、血流がよくなります。当然血色もよくなり、生き生きとした印象になります。また空気の通りもスムーズになるので、発声にも利点があります。

姿勢をまっすぐにして、前を見ていると思考も前向きになります。そして前を向いているほうが、視界も広がるので、情報量に差が出ます。うまくそれらの情報を活用できれば、仕事のアイディアや時間の使い方などに影響が出るでしょう。猫背やうつむく姿勢とはさよならしましょう。姿勢とは、あなたの運勢を左右するバロメーターなのです。いつでも姿勢をよくすることで、運勢を上げていきましょう！

Point

姿勢は、「運勢」「健康」「情報収集」にも効果あり！

20 アイコンタクトは「目を見る」だけではない

アイコンタクトを意識していますか？

一つ、あなたにとても簡単な質問をさせてください。

Q．あなたがいちばん最近話をした人の目の印象を詳しく教えてください。

色は？　形は？　長さは？　まつげ・眉毛の形や感じは？　目の動きは？

なかなか、詳しく答えられる方は多くはないでしょう。私のコンサルティングにいらっしゃるクライアントの方へ同じ質問を初めてしたときには、ほとんどの方が詳しく答えられませんでした。

私が言いたいのは、**コミュニケーションを取るときに「相手の目を見る」ということに、もっと深い意識を持つべきだということです。**相手を見ているようで、実は見ていないという人がほとんどです。

アイコンタクトには、人の心を動かす威力があります。ですが、単に視線を目に向けているだけの人が多く、「とりあえず目を見て会話できたぞ」と、自己満足だけで終わらせてしまっているようです。

もっと、相手に興味を持ったアイコンタクトの仕方をおすすめしたいのです。「この人の目はキラキラしているな」「ずいぶんとアイメイクに凝っている人だな。目の印象に意識が高いのかな」「今、ほんの少し瞳がウルウルしていたぞ、涙かな？」「まばたきをよくする人だな。混乱しているのかな」「お父様に似ていらっしゃるな」など、目を合わせるだけでなく、**目元や視線を観察するようになると、相手の正直な気持ちや、深い心理、さらには相手が喜んでくれそうな話題のトピックが生まれることもあるのです。**

アイコンタクト力を磨こう

昨今、コミュニケーションやマナーの本が人気を集めています。そして、「とにかく相手の目を見て話そう」「目を見て話を聞きましょう」と書かれていることが見受けられます。もちろん、目を見ながらのコミュニケーションは、信頼関係を作っていくうえでも基本の礼儀です。

ただ、「見ることが目的」のようにとらえてしまうのはもったいないことです。アイコンタクト本来の目的は、「信頼を深める」ことなのです。アイコンタクトが、単なる作業にならないよう、次のトレーニングを最低でも3人に試してみてください。

【アイコンタクト・トレーニング法】

①2つのチャームポイント探し

会話がスタートして1分以内に、相手の目の素敵なところを2つ発見する。深く考えすぎてしまわないよう、直感で考えるとよい。

(例)「目が大きくて、キラキラしている」「切れ長で、かっこいい」「瞳はブラウン系で、優しい感じ」「まつ毛がふさふさ！　まぶたがぴんと張っている」「白目の部分がきれいでウルんでいる」

②目の動きを観察する

目の動きには、「心理」が表れやすい。会話の内容と、目がどのように動いているかの連動性を観察してみると発見があるはず。

「照れると、テーブルを見ながら話す人なんだ」「迷ったり、自信がないときは自分の手を見る癖がありそうだ」「楽しいときは目がたれる人なんだ」「笑おうとしているけど、目がつり上がっているから要注意だ」などということを観察していると、相手を凝視せず、あえて目をそらすべき瞬間が見つけやすくなったり、目の動きから話し方を変えて相手を和ませてみたり、相手に悟られずに空気を自然に変えることも可能です。

もし、あなたが相手の目を見ることや、見られることに慣れていなかったとしたら、我慢してまで見る必要はありません。「相手を見る」という概念から、「お互いを知る」という概念に置き換えてみると、少し気持ちがラクになるかもしれません。

ただ、3つの注意点があります。

凝視には要注意

あまりに長時間、まばたきもしないくらいの勢いで見てしまっては、なんだか窮屈な感じがします。うなずくときに首を動かしますよね。その動きに合わせて、目線も上下に自然に動かすなどして、たまには相手から視線をはずすことも優しさです。

相手が大人数の場合

焦る必要はありません。1対1でアイコンタクトを取るときと同じ丁寧さで、順番に、やや迅速に行っていけばよいのです。流れ作業ではなく、話の内容と連動したアイコンタクトのタイミングを図れるよう、イメージトレーニングしておきましょう。

体とあごの向きに気をつける

せっかく、アイコンタクトで相手のことをよく知ろうとしているのに、相手に向けられているのは顔だけで、体は違うほうを向いているなんていうことはありませんか？　相手と向き合うには、体ごと相手に向くようにすると尊敬している気持ちが伝わります。

また、あごが上に向いていると、反発心や威嚇を意味してしまいます。さらに、あごが内側へ入りすぎていると、消極的で暗い印象を与えてしまいます。あごの位置は、目力がアップする「正面から1〜2センチあごを引く」程度をおすすめします。

Point

相手の目のチャームポイントを2つ探し、目の動きを観察しよう！

21 恐いくらい本性が出る手癖、足癖

品性は手癖、足癖に表れる

「印象をよくしたい！」ということは、誰もが願っていることです。そしてその際に、顔や姿勢に関しては、わりと強い意識を持っている人が多いです。

けれども、実は普段あまり意識がいかず、**ノーマーク状態の「手癖」「足癖」にこそ、その人の本当の品性が表れるのです。**

世の中には、仕事において平静さと優雅さで、プロフェッショナルな立ち居振る舞いを要求される職種の方が多くいらっしゃいます。ホテルのフロント業務、アナウンサー、女優、モデル、店頭販売員等々、常に人から見られている仕事をしている方は、とくに「自分の見え方」に注意をはらっている人が多いでしょう。

ところが、仕事の内容や経験値とは関係なく、手癖や足癖は出てしまうことが多いようです。ある日、カフェで優雅なオーラを放っている女性が男性と楽しそうにおしゃべりし

ているのが目に止まりました。「素敵な人だわ」と、思った瞬間、テーブルの下の足を見て唖然《あぜん》としました。なんと、靴の踵《かかと》をパカパカとさせていたと思ったら、今度は大きく足を開いているではありませんか（リラックスは家でしましょう）！

ハイヒールだったので、疲れる気持ちはよくわかります。ただ、周りの誰からも見えてしまう状況で、あのような品のない動きをしてしまっては、どんなに上半身では優雅に振る舞っていたとしても、それはフェイクでしかないと思われてしまいます。

まだまだある手癖、足癖のＮＧ例

また、量販店でカメラを購入しようと思い、販売員の男性と話をしたときのことです。その男性は、私の質問を聞いているときも、また彼が話をしているときも、常にペンをカチャカチャといじっているのです。落ち着きがなく、プロフェッショナルな感じとはほど遠いイメージとなってしまいました。

あるビジネス系講演会のあとの懇親会では、社員に対する自分のマネジメント力の高さを自信満々に語っている経営者の男性の方がいましたが、貧乏ゆすりが止まらないのです。

貧乏ゆすりは、心理的に不安定だったり、何かに不安を感じていたりするときに起こる、体からの信号です。結局、マネジメント力が高いと言っている話の信憑性には疑問を抱きましたし、どこか痛々しい印象さえ持ってしまいました（そもそも自分の力を誇示したがる部分にも問題はあります。能ある鷹は爪を隠すといいますし……）。

それでは、手癖と足癖のＮＧ例を挙げてみましょう。

手癖のＮＧ例

・ささくれをいじる（不健康で不潔な印象）
・爪をかむ（精神的に不安定な印象）
・テーブルに肘をつく（無気力、子どもっぽい印象）
・ペンやメモなどを常に触る（自信や集中力がない印象）
・テーブルでエアピアノを弾く（落ち着きや集中力がない、頭が軽そうな印象）
・腕を組む（欲求不満・ストレスを抱え込む体質、器が小さい印象）
・手をもむ（古くさく、陰険な印象）
・頬杖をつく（依存心が強く、無関心な印象）

足癖のＮＧ例

・足を大きく開いて座る（威圧的、頑固、知性が低い印象）
・貧乏ゆすりをする（精神的に不安定、知性が低い、現状に不満足な印象）
・バランスを崩して立つ（不健康、不摂生な印象）
・靴を引きずって歩く（横柄で、いい加減な印象）
・極端な蟹股《がにまた》、または内股（精神的に不安定、頑固だったり極端に内気な印象）

このようなＮＧ例を挙げてみましたが、あなたは思いあたる癖がありましたか？

少しも隙のないように爪の先まで神経をいきわたらせるほどの緊張感で生活をすることをすすめているのではありませんから、安心してくださいね。

まずは、自分の体で人から見えている部分が常にどこなのかを感じることです。感じていれば、最低限、ＮＧ例になることは防げるからです。**「もしかしたら、見えているかもしれない」と疑念を持って人と接していれば、大きな失態を起こさずにすむでしょう。**

私の仕事は、プレゼンテーションのコンサルティングがメインですので、プロの講演者や教師、講師の方へもアドバイスをさせていただくこともあります。すると、プロとして活躍されていたり、キャリアが長い人にでも、5つくらいは、改善すべき点が見つかるものです。

それだけ、自分のことは自分ではなかなか見えていないのです。改善する前に、まず自分の癖を分析してみましょう。そして、改善すべき癖があったら、「あ〜、今日気がついてよかった。これから恥をかくことはなくなってラッキーだ」と思えばいいのです。

10個見つかった人は、いきなり10個を改善しようとするのでなく、10個のうち、まず1個の癖に気をつけるところからスタートします。**1個に対する意識が深まれば、自然とそれに付随するほかの癖も見えてきますから。**自分に不要と思う印象を与えてしまう癖は、もう追い払ってしまいましょう！

Point

見えづらいところにほど、本性が表れる！

22 ビジネスファッションは相手のために装うもの

ファッションは自分のためではない

私がイメージコンサルタントの勉強を始めて、大変印象に残っていることの一つが「ビジネスファッションは相手のために装う」という、極めてシンプルですが、的を射た学びでした。

ビジネスの場面だけでなく、プライベートであっても、もちろん結婚式やパーティーなどでも同じことが言えますよね。そして、この学びを心底、理解できるようになったのは、私自身がイメージコンサルタントとして独立後、自分と一緒に仕事をするパートナーの採用面接をするようになったことがきっかけでした。

「採用される側の視点」と、「採用する側の視点」では、面接のとらえ方に対するギャップがあります。立場が違いますから、それは当然ですね。シンプルに言うなら「採用される側」と同じものを見ているとしても、**「採用する側」のほうは10倍ズームで見るほど、**

相手を細かく観察しているということです。

採用される側からすると、「このくらいの爪の長さは気にならないだろう」「この程度のスーツのシミだったら気づかれないだろう」と思っていても、それを10倍ズームで見られてしまったら、ごまかしようがありません。

採用する側は、単に「清潔感」が感じられるかどうかで判断しているわけではありません。**場面をわきまえて、ファッションをコーディネートするスキルというのは、仕事や人間関係のあらゆる面とリンクしていることがわかっているから、気になるのです。**

たとえば面接時に、パソコンが打ちづらそうな長い爪や、シワだらけのスーツで現れる人については、企業の面接官が「この人で大丈夫か？」と思う、その感覚が本人にはまったく理解できていないということです。つまり、相手の期待やニーズを読めていないことの証明となってしまうのです。

また、面接だけでなく、初めての人たちと出会う勉強会やセミナーなどにおいても、気をつけたいものです。もう二度と会うチャンスがないかもしれませんし、あるいは1回の挨拶でビジネスチャンスが広がる可能性もあるからです。

しかし、「自分をわかってもらえるベストスタイル」を選べる人は少ないようです。ビジネスファッションは、「相手のために装う」ものなので、一目で業界、職種、ポジション、イメージが相手に伝わるファッションのほうが断然効率的に、人とわかり合うことができるにもかかわらず、です。

以前、経営者、起業家、また起業を目指す人たちの勉強会に誘われたことがありました。そこである男性が、「私は経営コンサルタントをしています。上場を目指す企業の社長さんがいましたら、ぜひ紹介してください」と、ボサボサ頭に、シワシワのスーツ、そしてヨレヨレのネクタイ、しかも唇の皮が乾燥してむけているようなひどい状態で話しかけてきたのです。

私は、驚きました。こういうファッションで初対面の人に会うことにためらいはなかったのだろうか？　そして、この貧相な男性がはたしてコンサルティングで利益を生み出すことができるのだろうか、と。

人は見た目ではない、と言いますが、**少なくとも私は見た目で人を判断しています**。ビジネスを意識して人を判断するのには、時間が限られています。会った瞬間に、「この人は信頼できそうだ」と思わせることは、ビジネスプレゼンテーションスキルの一種です。

マナーや能力を心配させてしまうファッションセンスの人と仕事をしても、きっといつかコミュニケーションに何らかの問題が発生することは否めません。

ダサくてもいいんです。多少色使いがおかしかったとしてもいいので、せめてクリーニングしたてのシャツを着て、いちばん顔色が冴えるネクタイを選び、肌や口元のコンディションをクリームで整えるくらいの自己管理はしておきましょう。でないと、せっかく、意欲や能力があったとしても、スタート地点にすら立てず、新たな人や仕事の良縁のチャンスを逃してしまうからです。

大人のビジネスファッション15ケ条とは

職種、企業ブランディングなどによって、耐久性第一であったり、高級感第一であったりと、ファッションの選び方は多少異なります。ただ、やはり「この機会のためにベストスタイルを選んできた」というがんばりは、必要です。

今回は職種やポジションにかかわらず、最低限のファッションとして気をつけたいことをまとめてみました。

【大人のビジネスファッション15ケ条のチェックポイント】

①学生と同じスーツを着ない
②体にフィットしたサイズの洋服を選ぶ
③ノーメイクをやめる
④洋服にシワを作らない（男性のズボンのセンターラインは、しっかりとアイロンをかける）
⑤色がはげた靴をはかない
⑥ソールが磨《す》り減った靴ははかない
⑦ハンカチにアイロンをかける
⑧スーツのときは布製のバッグを持たない（リュックは背中と肩にシワができるのでNG！）
⑨顔の血色をよく見せ、歯は白く保つ
⑩傷んだ髪のケアを忘れない
⑪数えられるくらいの白髪であれば、切るか部分染めをする
⑫1年ごとにジャケットの値段を上げる

⑬プラスチックのボールペンを使わない
⑭財布がパンパンになるほど、お金やカードを詰め込まない
⑮腕時計をつける

相手からどのように思われたいか、そしてどのように接してもらいたいかをファッションで表していきましょう。自分自身がきちんとした格好をしていれば、相手もそれなりにあなたを大事にしてくれるでしょう。ビジネスでファッションは、自分が楽しむことよりもまず、相手ありきで考えなくてはいけません。

こういった、そこまで頭を使わなくてもすむようなトピックで減点されないように、全身が見えるよう1・5メートルは離れた位置から鏡を見て、もう一度ビジネスファッションをチェックしてみましょう。そして、**厳しく正直にアドバイスをしてくれる人を同性と異性で各1人ずつは探しておくことをおすすめします。**

店員さんですと、基本的に「ほめたおされる」ことになってしまいますから、よほどお付き合いが深くて売り上げを無視したアドバイスをしてくれる人を除いて、選抜からははずしておきましょう。

Point

ビジネスファッションは仕事の能力や
コミュニケーションスキルを映し出す鏡である！

23 なぜあの人の足元は20歳も老けて見えるのか

「姿勢」に気を遣っていますか?

一つシンプルな質問です。あなたの目の前に、誰か相手がいるときに、その相手とあなたとの間で、いちばん近い体の部位はどこだと思いますか? 答えは、足元です。足元でも、とくにつま先部分が、いちばん相手との距離が近いのです。つまり、相手にとって「いちばんよく見える」ところであり、あなたにとって「いちばんよく見られている」ところでもあるのです。

よく「面接には靴を磨いて行きなさい」などと言われています。それは身だしなみとしての側面からはもちろんですが、**物理的に考えて相手からいちばん近い距離にあるのが足だからです**。自分で思っている以上に細かいところまで見られてしまうので、気をつけたほうがよいと私は考えています。

しかしながら出かける前に、男性はネクタイの結び目と、前歯がきれいかのチェックだけですませる人が多いようです。また、女性の場合はニキビやシミをコンシーラーで隠すことや、目をいかに大きく見せるかということが最大のポイントで、かりに足元にまで注意が及んだとしても、ストッキングが伝線していないかどうかという問題までにとどまり、その数十センチ先の「足元」にまでしっかりとケアが及ぶ人はそれほど多くはありません。

そのため、出かける前に、鏡で自分を確認するときには、頭の先から、つま先までの範囲を確実にチェックすることが必要です。鏡で確認すること自体に不慣れな人は、今日からぜひ習慣にすることをおすすめします。

その際に、**最低でも3秒は「足元」を凝視しましょう**。わずか3秒でも、裾《すそ》のほころびや、ズボンの汚れ、靴の状態などをしっかりと視覚でキャッチすることが可能です。どんなに忙しかったり、面倒なことが好きではなかったりする方でも「たった3秒足元チェック」と覚えれば、すぐに取りかかれます。

あなたの〝ここ〟が見られている!

ここからは、とくに女性が気をつけるべきポイント、そして男性が気をつけるべきポイント、最後に重要な靴のお手入れについて詳しくご紹介します。

■女性編〜どこを見られているのか？〜

先日、私が地下鉄に乗って仕事先へ向かう途中に、電車内で、その「足元」のせいで20歳は老けて見えるほどの、30代前半くらいの女性を目撃してしまいました。

その女性は、松たか子さん似の端整な顔立ちと健康的な黒髪に、活動的なパンツルックが印象的な方でした。ところが、私の正面の座席に腰をかけた途端、あるものが目に入ってきて、私は愕然《がくぜん》としてしまいました。

それは、**パンツから覗く足首のストッキングのたるみです**。しかも、ストッキングは足首までの短い長さであるうえ、素肌の色がまったくわからないほどの濃いベージュなのです。私から見たら、彼女といちばん近い位置にある部位が「足元」なので、細部まで見えてしまっているわけです。

とくにそのたるみは、彼女の若々しい印象をすべて粉々に破壊してしまうほどの強烈な「老け感」となってしまっていました。思わず「そのストッキングをはき替えれば、あなたの人生は少し変わるかも！」と言ってしまいたくなるほど、彼女の本来の魅力と、その

「残念な足元」とのギャップは衝撃的でした。

でも、こういうケースはこれまでにも目にしたことがありました。残念ながら、就職活動をしている女子学生の中にもいます。いちばん気をつけたいのは、みすぼらしい「ストッキングの足首のたるみ」、素肌の自然な感じをまったく見せず老け感を出してしまう「厚手のベージュストッキング」、肌との境目が思い切り見えて女性らしさがなくなる「短い靴下ストッキング」です。さらには、「顔より白いストッキング」は、浮いた感じがして、見た目年齢を確実に上げてしまいかねないキケンなアイテムです。

■男性編～どこを見られているのか？～

男性で言うならば靴下です。男性でも、足を組んだら素肌が見えてしまうほどの短い靴下ではなんだか滑稽《こっけい》な印象ですし、スーツなのに「白い靴下」「キャラクターが入っている靴下」はセンスのなさが前面に出てしまいますから、スーツに合わせた黒、紺などのダークな色で、ある程度長さのある靴下がおすすめです。

そして、毛玉ができたり穴が開いたら、すぐに捨てましょう。ダークな靴下ですから、毛玉も開いてしまった穴も、実は本人が思っている以上に（あるいは、ごまかせていると思っている以上に）他人にはよく見えています。

また、靴下のゴムが伸びてしまって、座ったときにまるでルーズソックスのようにくしゅくしゅに下がっている人もたまに見かけます。だらしがない印象につながりますから、気をつけましょう。

イメージコンサルティングの世界では、**男性のビジネススーツ姿で見せていいのは「首から上」「手首から先」だけだと言われています**。つまり、顔と手だけなのです。足元は素肌を見せることなくスマートに着こなすべきです。靴下を上手にはきこなせるだけで、足元はとても品のある印象になります。

■靴のお手入れ

足元と言えば「靴」です。まずは「つま先磨き」についてです。靴を磨く習慣がある方でしたらおわかりかと思いますが、**磨き手から見て靴を磨くだけではなく、靴のつま先を自分のほうへ向けた状態で磨きをかけてみるのです**。このように「相手から見られる方向」を意識した靴磨きをすることで、いつ見られてもいい状態をキープすることができます。

また、**男性も女性も、靴のソールが激しく磨り減っていると、「老けて見える」だけでなく、「貧乏臭い」「不潔」「余裕がない」といった印象にもなってしまいます**ので、「たった3秒足元チェック」を毎日続けて、印象の面でも地に足をつけていきたいものです。

「足元」は、顔と違って、鏡がなくても自分で確認できる便利な場所です。ですから、ちょっとしたときに「足元」を曲げたり伸ばしたりしながらチェックできれば、ストレッチもできて一石二鳥です。ただ、やはり鏡を見てチェックすることもはずせません。なぜなら、「自分の視点」と「相手の視点」とでは、異なる部分があるからです。

距離、高さ、角度など、日ごろあなたが相手の「足元」を見るときに、どのようなところが気になっているかを一度、観察してみると面白いですよ。

Point

「たった3秒足元チェック」で、いつまでも若々しくかっこよく！

Part 3

「また会いたい」と思われる人の**行動**のルール

24

ほめられたら、第一声は「ありがとう」

ほめる側の気持ちも考えて

あなたは最近、誰かをほめましたか？　ぜひYESという回答が欲しいものですが、ゴマをする……という意味ではなく、心から相手をほめるとき、ほめたあなたも、ほめられた相手も、お互いに嬉しい気分になるものです。

私も、研修やコンサルティングの中で相手をほめる場面がたくさんあります。相手をほめるからには、当然ながらその根拠が必要です。私の場合は、ゴマなんてすっていたら、クライアント本人が改善点に気がつかず、世間で恥をかいたり、評価を下げられてしまったりすることもあるので、「ほめるための理由」探しには、毎回真剣に取り組みます。

ただ、もっとゆるい場面（知人や友人、パーティーなど）では、おおらかな基準で、相手をほめるようにしています。そんな中、ほめられることに対して、真面目な国民性なのか、**日本ではほめられて「ありがとう」を言える人が極端に少ないように思います。**

欧米では、相手をほめるとたいていの場合、笑顔で「Thank you!」という言葉が返ってきます。たとえば、年に1回アメリカで開催される、イメージコンサルタント協会の国際会議でのことです。私がある講演者に「あなたのセッションは非常に役に立ちました。ありがとうございます」と伝えたところ、彼女は私に「講演を真剣に聞いてくれてありがとう。また楽しんでいただけて光栄です。あなたはどこの国のご出身？　黒髪が素敵ね」など、**必ずお礼を先に言うのです。しかも、彼女の場合は、相手（私）への配慮も忘れずに、質問をして興味を示して、ほめ返しまでできてしまう。**頭の回転の速さを感じるとともに、フレンドリーな印象も持ちました。

実際には、相手をほめることに対して本気度が低い場合もあるでしょう。でもそんなことは関係ありません。低かろうが高かろうが、**せっかく相手が言ってくれたすばらしいほめ言葉に対して、「ありがとう」を言うべきなのです。**

なぜならば、**ほめる人も「ほめる理由」を探すのがそれなりに大変だからです。**それなのに、ほめた相手に「でも実際は違うんです」「そんなことは全然なくて……」などと、ほめたことに対して否定されてしまうと、またそれをフォローするために、ほかによい点を探さなければなりません。それはもう、大変なことです。こんな労力を相手にかけてしまうのは、マナー違反だと思いませんか？

ほめられて「ありがとう」を言うことは、「そうなの。その通りよ」と、うぬぼれて言っているみたいで謙虚さがないのでは……なんて重たく考えずに、「ほめようとして私のことを考えてくれてありがとう」という意味で、もっとおおらかに考えてみることをおすすめします。

自分に自信が持てる、魔法の宿題とは？

以前、30代の女性からコンサルティングの依頼を受けました。そのリクエストは、「転職活動のためにも、もっと自信があるように見える印象を作りたい」という理由からでした。コンサルティング当日、「自信が持てない理由」をはじめ、学生時代から社会人になって変わってきた生活環境や、楽しかったエピソード、職場の話や、趣味などについての話し合いをしました。

そして、最後に私は「自信が持てるような自分」になるための、小学生にもできる、ある宿題を出しました。それを1週間、ひたすら続けるように伝えると、彼女は「そんなことでいいのかしら？」という思いをちらつかせながらも、私を信じてこの宿題を1週間続けてくれました。

そして、1週間後、「吉原先生、最初はぎこちなかったのですが、宿題をなんとか続けてみました」と彼女。そして私が、「それによって、何か感じましたか？」と尋ねると、「はい」と彼女は力強くうなずきました。続けて「言葉と表情が明るくなりました！」と嬉しそうに言うのです。

そう。私が出した宿題とは「**質問されたら、まずは『はい！』。そしてほめられたら、必ず笑顔で『ありがとうございます！』と言ってみてください**」という内容でした。こんなことで人は変わるのか、と疑問に思った方もいるでしょう。でも、言葉の威力は想像以上に大きいのです。

言葉は私たちを自由にもしてくれますが、一方で思考をコントロールしたり、整理してくれたりする機能も備えています。たとえば、「あなたって本当に気が利くわね」と言われて、それまでの彼女は「いえいえ、まったくそんなことはありません。家では本当にぐうたらですし、会社でもダメダメなんです……」と延々と続け、こちらとしても、知ったところで何のメリットもないような情報を延々話す傾向がありました。こうなると、彼女のイメージがダウンし、彼女自身も自分で言った言葉に自分をあてはめようとしてしまって、悪循環となってしまいます。

その悪循環を変えるために「あなたって気が利くわね」と言われたら、まず「ありがとうございます」と言うことで、自信のある自分を言葉で感じてもらっていたのです。その瞬間、「次のセリフ（言葉）は……」と、徐々に可能性を帯びた前向きな言葉を探すようになります。それを習慣化することで、ネガティブに考えようとする癖を、ポジティブに考えるように直していったのです。

さあ、あなたも人からほめられたら、まず「ありがとう」と言ってみましょう。さらに、ほめてくれた相手との距離感を近づけて、会話を楽しむ方法がありますので、以下に紹介します。

【ほめられたあとの反応ステージ】

ステージ1◎笑顔でお礼を言う

「ありがとうございます」「ありがとう」

ステージ2◎相手の価値を上げる

「○○さんに言っていただけるなんて、光栄です！」

「○○さんに言っていただけるなんて、感激です！」

「こんなに嬉しいことを言っていただけたのは、○○さんが寛大な方だからです」

ステージ3◎今後の抱負

「ご期待に少しでも応えられるよう、今後はもっと精進します」

「まだまだ未熟な点ばかりですが、どうぞ○○さんからいろいろと学ばせてくださいね」

ステージ4◎相手へ会話を振る

「光栄です。ありがとうございます。ところで、○○さんは……」

※状況に応じて、内容を考えましょう。とにかくそれまで自分が浴びていたよい空気の流れを、今度は相手へ返してあげる番です。頭と心を使って、会話を盛り上げていきましょう。

さあ、これであなたもほめられ上手！　ほめてくれた人も、きっと喜んでくれるでしょう。

それでは早速質問ですが、私があなたに
「本を読んでくださってありがとうございます！　きっと向学心がある方なんでしょうね！」
と言ったら、笑顔で「ありがとう」って言える自信はありますか？

Point

ささいなことでもほめられたら、心をこめて「ありがとうございます！」

25 人間関係もビジネスも「損して得取れ」

一時的な「損」は進んでしよう！

ここでは、イメージゲームをしてみましょう。状況を説明しますので、あなたはこの状況の主人公として、どっぷりとイメージにつかってみてください。

【状況】あなたは、最近とってもいいことがありました（恋人ができた、昇進した、結婚した、子どもが生まれた、家を買った、退院したなど）。そんなとき、あなたはふと、お蕎麦《そば》が食べたくなって、お蕎麦屋さんでランチをすることにしました。

偶然入ったお蕎麦屋さんは、なんと偶然にも以前勤務していた会社の同僚が会社を辞めて一人で作ったお店だったのです。あなたと元同僚は懐かしい話を始めました。そして、あなたが「立派なお店だね、一人で開業したなんて大したもんだ」と言うと、「君は最近どうなの？」と聞かれました。「実は、来月結婚することになったんだよ」と答えると、元同僚は「へえ～」のリアクションのみ。

さて食事を終えて、会計へ。「ランチセット1200円です」と言われ、支払いをすませて「今度は妻（夫）と一緒にうかがうよ」と言いました。「ぜひいろいろな人を連れて来てよ」と言う元同僚に見送られて、あなたは店を後にします。

はい。ここまでです。元同僚のために、自分にとって大事な人たちを、この蕎麦店へ一ケ月以内に連れてこようと本気で考える人はどれだけいるでしょうか？

ゼロではないでしょうが、多くもないでしょう。

私であれば、まず知人を連れてくることも、自分が行くことも、もうないかもしれません。なぜならば、大事な人たちには、食事を楽しんでもらいたいと強く感じているからですが、元同僚には**「お客さんを喜ばせる」「感動させせる」という根本的な接客精神が低いのは一目瞭然です**。

まず、結婚の報告をした相手に対して、なぜ「おめでとう！　お相手はどんな方なの？」というような祝福と関心がなかったのでしょうか。そして、もし私が蕎麦店を経営していたら、「ご結婚のお祝いに」と言って、開店したてで料金を無料にはできないまでも、蕎麦に天ぷらの一つでもサービスするなり、レジの横のお土産用の蕎麦粉クッキーやオリジナルの蕎麦つゆを、せめてものギフトとして渡すでしょう。

一見すると、「損した」「お金がかかった」と思うかもしれませんが、そういうちょっとした気持ちは、相手の心の中に感動となって刻まれます。いとも簡単なことで、相手の気分をよくすることができるのです。

その一時の「損」によって、その後あなたが常連さんにまで発展したり、会社の忘年会や新年会でお店を使うようになったり、またあなたのブログで紹介されたことをきっかけに月間の集客率が10％上がったりすることも考えられます。**「損」ではなく、「種」となって、人やチャンスを運んでくれる結果へとつながっていくのです。**

一時的な「損」はレッスン代と考えよう

経営者として、経営を守って伸ばしていくことは最優先課題です。おめでたいことがあった知り合いや、家を買ったお客さんを対象に毎回天ぷらをサービスしていたら、経費がかかって嫌がる経営者の方も多いでしょう。でも、毎日起こることではないうえ、会計をすべて無料にしなさいと言っているわけではありません。

ほんの「気持ち分」のサービス精神が重要なのです。もし、「気持ち分」のサービスを続けたとしても、それによって経営を圧迫することはまずありません。なぜならば、満面の笑みで「おめでとう！　本当によかったね。落ち着いたら、ぜひ今度はお2人でいらっしゃってね。今日はほんの気持ちとして、うちのオリジナルの蕎麦粉クッキーをお土産に持って帰ってね」と言われたら、嬉しさと同時に、「クッキーをもらってしまった」という**恩に対して「何かお返しをしなくては」と思う人が大半でしょう。**

自分を大事にしてくれる、そして特別感を味わえる、そういうお店には大事な人を連れて行きたくなるのが人の心理です。そうやって、再び来店してくれたときの売り上げによって、前に渡したクッキーの経費なんて、すぐにカバーできるのです。

さて、このような話は、クライアントの方からも聞きますし、私自身も経験したことがあります。「気持ち分」のサービス精神がない商売人は、その一時はよくても、長い目で見て「いいお客さん」は付いてこないでしょう。

無駄に損だけしないように、経営センスを持つことも必要ですが、まずは「相手のため」と思う純粋な気持ちこそが、人やチャンスをつなげていける秘訣なのでしょう。「また会いたい！」と思わせる商売人は、人の心をつかむことができる人たちなのです。

それでは、ビジネスの場面だけでなく、たまたまランチを一緒に取った同僚が「実は今日、私の誕生日なの」と言ったら、あなたは何をしてあげますか？

・ランチをごちそうする
・デザートだけをごちそうする
・会計する際に、レジの横のクッキーを買ってあげる
・お祝いのドリンクをごちそうし、バースデーソングを小声で歌ってあげる

誕生日は年にたった一度。本人にとっては特別な日です。あなたが数千円損したとしても、相手との未来に何かしらの幸運をもたらすと思える心の余裕を持つべきです。
人を喜ばせるための一時の金銭的な「損」というのは、あなたの人間性を豊かにするためのレッスン代なのかもしれませんね。

Point
損をするから徳（得）が舞い込む！

26 品がある人のお金の使い方

なぜあの人は、いつもケチと言われてしまうのか？

お金に対する価値観は人によって様々です。身近なところで言えば、1日の食費、初詣のお賽銭《さいせん》の金額、恋人への誕生日プレゼントの金額など、まさに十人十色です。

今年の初詣のことですが、お賽銭箱に100円を入れて上機嫌で私が手を合わせていると、一緒にいた友人に「100円なんて安すぎるよ。私は1000円を入れて願い事をしたわよ」と言われてしまいました。そうかと思えば、その友人は「最近よく行くカフェのコーヒーが30円も値上がりしたの。信じられない」と怒ったりもしています。それでもその友人は、海外旅行の代金は惜しまなかったり……。

このように金銭感覚は人によって違いますし、自由です。また他人から見ると不可解な部分もありますが、それはそれで面白いものです。

また、生まれつきケチな人がいれば、浪費家、倹約主義、とくにこだわりのない人まで、お金にまつわるいろいろなタイプの人が世の中には存在します。そして、お金の価値観は経験とともに構築されていき、宝くじが当たって億万長者になったり、経営している会社の商品が空前のヒット商品になったりするような大きな転機が訪れたとしても、根本的な部分はそれほど大きく変わっていくことはないでしょう。

つまり、ケチな人はいつまでたってもケチですし、倹約が好きな人はお金があっても節約するのが好きなわけです。

あなたのお金の価値観がどうであれ、社会で人と接する中では「この人のお金の使い方は品がある」「この人はお金の使い方が粋だわ」などと思われたほうが、断然よいと思いませんか?

倹約家、節約が好きなどの生まれ持った特性を無理に変えなくても、**せめて人と接するときにはお金の使い方をどのように見せるかを考える習慣を持っておくと、相手から信用されやすくなるのです。**

以前、仕事で出会った方で、話し方も立ち居振る舞いも紳士に見えて、誰からも信頼されている男性がいました。話の内容も、謙虚でおおらか。そんな男性と一緒のプロジェクト仲間6名で食事に行きました。彼は大の酒好きで、そのうえアルコールにも強い人でした。

短い時間の食事だったにもかかわらず、この男性はワインやビール、日本酒などを10回は注文していたようでした。私を含めたほかのメンバーは2杯くらいで、多くても3杯飲んだ方がいたくらいでした。

そして、いよいよ会がお開きになり、請求額を人数で割ったところ、一人当たりの支払い金額が5500円になりました。

すると、その男性は「私、ぴったり持っていますよ」と、満面の笑みで発言するではないですか！

さあ、ここまでくると、もうおわかりですね。この男性は、残念ながらケチだと思われても仕方がないお金の使い方をしている人です。

それでは、もしあなたがこの男性の立場だったら、どのような反応をしますか？

こういう場合、尊敬されるお金の使い方ができる人は、こんなことを提案します。

Ａ「皆さん、今夜はだいぶ飲んでしまいました。ですから、私に1万円を支払わせていただき、残りを皆さんで割ってください」
B「皆さん、今夜は皆さん以上にだいぶ飲んでしまいました。せめて全員の端数分の500円を私の会計にのせてください」

本来はAの提案額が1万2000円以上を理想としますが、最低でも前述したくらいの額で提案しないと、一生「○○さんはせこい」などというレッテルを貼られてしまいます。

Bの提案額も空気が読めているとは言えませんが、わずかながらもほかのメンバーに対する誠意は感じられます。

前述の男性と同じような価値観を持つ人たちは、「たくさん飲んだのに、大勢いるから支払い額が少なくなってラッキー」と思っているかもしれません。しかしながら、そういう人には何かいい話があっても、こちらからは恥ずかしくて人に紹介できないですし、自分の損得にしか興味がなさそうな人とは、付き合いたくないと思われてしまうことは間違いありません。

あなたのお金の使い方はどっち？

このように、一時の数千円、数百円といったお金を惜しむことで、その後の関係にヒビが入ってしまうのだと肝に銘じる必要があります。

尊敬される人、ケチと思われる人のお金の使い方をまとめてみましたので、あなたのお金の使い方と比べてみてください。

■尊敬されるお金の使い方

・人からお金を借りない（万が一に備えて現金を多めに、また財布以外にも入れておく）
・お金を借りたら2日以内に返す（できるだけ早く返す。直接返すときには新札を選び、なるべく封筒に入れる。また、気持ちとして簡単なプレゼントなどがあるとよい）
・財布の中が整理整頓されている（お金に対してちゃんとしている印象につながる）
・お金の扱い方が丁寧（硬貨や紙幣にせよ、クレジットカードにせよ、いい加減に扱わない）
・ご馳走するときには機嫌よく（ご馳走してやっている……という態度はせこい印象を与

える）

ケチと思われるお金の使い方

・支払い時に文句を言う（お金を払うときには嘘でも堂々とすべき）
・支払いに差をつけない（飲み会などで明らかに立場や年収、飲んだお酒の量が違うのに差をつけないのはケチと思われやすい）
・借りたお金のことを忘れる（言語道断である）
・ご馳走になってもお礼をしない（メールや手紙、電話などで後日、改めてお礼の気持ちを伝えるとよい）

そういえば、高校時代にそれほど親しくはなかったのですが、友人にお金を貸したことがありました。ランチ代ということで、1000円ほどです。それ自体は問題ないのですが、卒業間近ということもあって、なかなか会うタイミングがなくて、そのまま卒業してしまいました。すると、卒業してすぐ、4月ごろにその友人から1通の手紙が届きました。

開封してみると、そこには郵便切手が1000円分同封されていました。「返さなければば」と覚えていてくれたことは嬉しかったのですが、「なぜ切手?」と驚きました。

現金は現金で返すことがマナーではないでしょうか。少額とはいえ、承諾もなく使い道の限られた切手を選ぶという感覚が私には理解できませんでした。商品券か図書カードなどのほうが、まだ嬉しかったかもしれません。これを反面教師にして、**現金は基本的には借りない、そして借りたら借りた形態でお返しするということを学ばせてもらいました。**

お金の価値観は人それぞれですが、人と接するときには価値観の「見せ方」に品を持たせていきましょう。

Point

お金の使い方にもマナーがある!

27 想像力を鍛えて会話力を激変させよう

想像力は自分で高められる

「私の髪形はどうですか？」
「私のスーツ姿はどこか間違っていないでしょうか？」
「メイクはこれでいいのでしょうか？」

こういった質問は、就職活動をしている学生や転職活動をしている社会人の方から非常に多い質問です。私はコンサルタントという仕事をしていますから、クライアントが求めている答えを発信することが要求されます。

しかし最近、講師業を通して出会う受講者の方からの質問内容には、**自分ではほとんど考えようとしないで、すべてを他人に委ねるような内容が増えてきているように感じています。**

先ほどの質問も、少し考えてみればわかるものです。相手の立場になって、「どんな応募者だったら、社員にしたいと思ってもらえるか」と想像すればいいわけです。

【簡単に想像できる具体例】

●髪形　→「自分の誠意が表れるお辞儀をしたときに、髪が顔に落ちてきてはみっともないから、しっかりとまとめよう」

「食品会社に就職したくて面接を受けるんだから、清潔感だけでなく安全性という印象も与えたほうがいいかも。ということは、ヘアピンや整髪料はつけすぎないようにしよう」

●スーツ姿→「自分が社長だったら、シワだらけで、汚れたスーツを着ている人に自社商品の営業をしてもらいたいとは思わないだろうな」

「自分が面接官だったら、少しでも堂々と品よくスーツを着こなしている人に好感が持てるはずだから、色やサイズがフィットしているか鏡で確認してから、家族や友人に意見を聞いてみよう」

●メイク　→「もし自分がお客の立場だったら、派手なメイクよりも上品で優しいメイクの店員さんから話を聞いたほうが安心できそう」

「もし私が面接官だとしたら、いくらナチュラルメイクがいいと言っても
ノーメイクな女性に対してTPOを心得ているという印象は持てない」

このように簡単な想像一つで、自分がどのようにあるべきかが読めるのです。

想像しないということは、自分の意思を発見することを放棄しているのと同じことです。**まずは自分で考えて、それでも決断できないときには、迷っている選択肢や、具体的に感じる疑問などを相手に聞いてもらうことで、想像力の間口を広げましょう。**

すべてを相手任せにするような頭の使い方では、いつまでたっても想像力が広がらなくなってしまいます。

質問により、その人のレベルがわかる

研修や講演をしていると、たくさんのご質問を受けるのですが、最もレベルが低いと思われてしまうのは、それまでの話を聞いていないために、誰かがした質問と同じ質問をすることです。しかも、こういう人に限って自信満々に質問をしてきますから、困ったものです。また人が大勢いるというのに「私にはどのような色が似合うと思いますか?」など

という質問をしてくる人がいますが、全体での質疑応答の場面にはふさわしくありません。自分のことを知りたいのは誰しも同じです。ただ、「この質問はこの状況にふさわしいだろうか?」「言い方は適切だろうか?」などと、話す前に一瞬でも考えてほしいのです。

たとえば、主語を「私」ではなく「私のような○○なタイプの人には、どのような色が似合うと思いますか?」というふうに変えるだけで、ほかの人も聞いていて得をする質問へと変わります。同時に、**質問をした人の想像力レベルも高く評価されるわけです。**想像力を鍛えるには、何かを話す前に、それまでは考えもしなかった状況を1つか2つは取り上げて想像してみることです。

「何かほかにないかな?」「きっと違う言い方もあるはず!」と、頭の中で呪文のように自分に問いかけているうちに、きっと新しい発想が芽生えてきますから。そうそう、質問時間は5秒以内にまとめましょう。答える側も内容を理解しやすくて助かります。

Point

想像力を働かせれば、あなたの評価も大きく変わる!

28 カチンときたら「ゆるゆる作戦」

怒りを抑えきれないときは、どうする？

あなたは最近、人から何かをされてカチンときたこと（怒り）はありましたか？

身近な例ですと、「買い物先の店員さんの態度が悪かった」「困っている人を助けたが、無反応でお礼もなかった」「気にしていることを笑われた」「やる気のない人と仕事をした」など、あなたにも経験があるのではないでしょうか？

結局、私たちは自分の価値観や欲求を無視され、ないがしろにされるとカチンときます。「すすめた本を相手にも面白いと思ってほしかった」「親切にしてほしかったが、されなかった」「感謝してほしかったが、されなかった」「大事に思ってほしかったのに、してもらえなかった」など、**自分が相手に期待していたことが実現されないと、怒りや不満へとつながります**。

このメカニズムを知っておくだけでも、だいぶ自分や相手が客観的に見えてくるはずです。残念ながら、まだまだ世の中には反応が乏しい人が多いものです。しかし、明らかに悪意がある人もいれば、悪意はなく深く考えずに相手の怒りや不満を呼ぶような反応をしてしまう人もいます。

以前、『傾聴&質問力トレーニング』というセミナーを開催しました。その際、講師の私と受講生が順番にペアになり、私がそれぞれの受講生の苦手な人のタイプを演じて、各受講生に実際に起こったという状況設定でコミュニケーションを取るといったワークがありました。苦手なタイプの人に対してどのように接したらよいかをトレーニングするためのものです。

そして、会社員の30代男性Hさんの苦手な「プライドが高く、人に無関心で冷たい人」というタイプを演じてワークをしたときのことです。

彼と私が演じる女性は、ある勉強会で初めて会ったもの同士という設定の中、会話がスタートしました。

Hさん：「こんばんは。こういう勉強会は初めてですか？」

と、好感の持てる明るい感じで話しかけていきます。

私：「（面倒くさそうに）はい。まあ」

とだけ答えます。軽くお互いの職業などの会話を交わしたあと、

Hさん：「趣味は何ですか？」

（懸命にがんばっているが、この時点で、すでに苦手意識があらわになってだいぶ凍りついているHさん）

私：「とくにないですけど……あなたは？」

Hさん：「私は読書です。多読が趣味で、1日に1冊は本を読んでいます」

私：「そんなに読んで、意味があるんですかね？」（無関心そうに意地悪く言う）

すると、Hさんの表情と態度が明らかに変わったのがわかりました。完全に「怒り&動転モード」の表情なのです。それもそのはずです。Hさんは多読をコンセプトにブログを公開する、真面目で礼儀正しき前向きな青年で、読書とはライフワークであり、自分のコンセプトでもあるからなのです。

最も高い位置において大事にしているものが、初めて会った女性に心ない言われようを

されてしまったのです。

そしてワークが終了するとHさんは、負の感情をあらわにしてしまったことを悔しそうに話していました。

Hさんのような真面目な方は、表情に出てしまいやすい傾向が高くなります。人間ですから、自分が大切にしている価値観を踏みにじられれば、誰だって憤慨します。

そんなときはどうすればいいのでしょうか？

覚えておきたい「ゆるゆる作戦」とは？

こんなときに効果的なのが、「ゆるゆる作戦」です。

つまり「**ゆるくゆるく反応する**」ということです。この女性のような人に対しては、まずは、言っていることを受け止めます。受け入れる必要はありません。

まともに反論や説教などしては怒りが倍増してきますし、何よりもがいている姿はかっこいいものではありません。

ですから、相手と競ったり、仕返しに心を燃やしたりするのではなく、「自分とは価値観が合わない人も当然世の中にはいるはずだ」と開き直るのです。そして、「**そんなこと**

を言われたら悲しいじゃないですか～」「そんなこと言われたらちょっとショックじゃないですか～」など、ダメージを受けていることを明るく言いながら、ダメージを受けたことを認めてしまうのです。

ただし、暗く言ってしまっては効果がありません。必ず明るく言うことがポイントです。すると、「余裕があってユーモアもある」「人の扱いに慣れている」といった印象へとつながります。

印象だけでなく、そのように反応することで、自分自身の価値観を守れることにもなります。自分の価値観は、自分が知っていて大事にしていれば、本来はそれで十分です。

こういった「ゆるい反応」によって人に踏み込まれても大丈夫な余白の部分を作っておくことで、自分の怒りを静めてあげましょう。

Point

「ゆるゆる作戦」で、心に余裕を作ろう！

29 品格がある人たちに共通する10の習慣

品格を意識したことがありますか？

さて、あなたの周りで、安心してコミュニケーションが取れる人はどのくらいいるでしょうか？

仕事でもプライベートでも、「安心してコミュニケーションが取れる人」は大事な存在です。

「田中さんほど礼儀正しい人だったら、どんな人にも安心して紹介できる」「前田さんだったら、気の利いた会話ができる」など、あの人なら大丈夫！　といった安心感がある人に誰しもが思われたいものです。

安心感というものは、「話が面白い」とか「賢い」といったイメージ以上に、人と人とのつながりには欠かせない印象です。

その安心感というキーワードは、何よりも「反応に品格があるか・ないか」の差なのだ

□反応の品格チェック表

No	項　目	自己チェック
1	レストランや電車、タクシー、エレベーターなどでは具体的な固有名詞を使った噂話は控えている	
2	会話をしながら街を歩いているときには、「見られている」「聞かれている」ということを意識して態度や言葉を選んでいる	
3	レストランで食事をしているとき、ほかのテーブルの客との距離感や雰囲気を感じながら、声の大きさや笑い声に気を配っている	
4	相手との会話では「怒り、愚痴、妬み」は話さない	
5	業務内容やクライアント情報などの守秘義務を徹底し、プライベートでも口外しないと約束した大事なことを外では一切話さない	
6	周囲に人がいれば、相手へのプライベートの具体的な質問は避けるようにしている（住所、収入、家族の病気など）	
7	店でサービスを受けるときには、店員への対応を丁寧に品よくしている	
8	人前では「舌打ち、ため息、あくび、のび、肘つき」をしない	
9	常に相手の行動を観察して、ケアができている（相手のためにドアを開けてあげる、荷物に気を配る）	
10	待ち合わせには、相手よりも早く着いて待つことができる	

と考えられます。

ここで私が言う品格とは、家柄などの先天的なものではなく、むしろ後天的に、その人が相手への気遣いや、自己研鑽《けんさん》によって作り上げた一種の「身につけたマナー」のことを指します。

それでは、安心感を与えられる「反応の品格チェック表」を使って、現状の自分を振り返ってみましょう。

「反応の品格チェック表」は、私が仕事上で出会った品格のある人たちを観察し、共通点をまとめたものです。彼らは国際的にも活躍している人たちです。ただ、よく見ていると、難しいことなどは一切していないのです。**当たり前だと思われる礼儀やマナーを徹底して**

実践しているだけなのです。

品格のある人は、差をつけるのがうまい

品格のある人たちには、さらに興味深い共通点があります。それは、**男性と女性とで、差をつけて接していることです。**

たとえば、男性では、レストランや乗り物に乗るときには、女性を先にすることや、女性であれば、レディーファーストがわかっていない男性に恥をかかせないようにうまく振る舞うことなどです。

差別ではなく、区別をすることをわかっていれば、男性も女性もお互いに気持ちよく接することができるので、ビジネスもプライベートもより楽しくコミュニケーションが取れることでしょう。

とはいえ、その区別ができない相手を非難する必要はありません。ただ、自分自身がわかっていて、行動していればよいのです。

私は過去に何度か、「一緒だと思われたくないな」と思ってしまうほど、レディーファーストはおろか、レストラン内で横柄な態度（大きな声で品のない会話）の男性たちと会食

をしている女性のビジネスパーソンを見かけたことがあります。しかし、中には嫌な顔を見せずに、つかずはなれずといった感じで上手に振る舞っている女性もいました。
品の感じられない人たちと同席しなければならないことがあっても、自分自身がきちんとしていれば、周囲も「明らかにあの人たちは親しい関係ではない」と思いますから、やはりまずは、自分自身を見つめ直すことが大事なのでしょう。

Point

品格とは、当たり前の礼儀やマナーを徹底している人たちにのみ宿る魅力！

30 相手の心に届く「巻き込みアクション」をする

意識して人を巻き込もう

「心が通ったコミュニケーションをしている人」とは、どういう人だと思いますか？

それは「相手を巻き込む反応」をしている人です。過去に「相手の会話での反応」がよかったのをきっかけに誰かと、長く、または深い付き合いをスタートさせたという経験がある方は、多いのではないでしょうか。

また、「絶対にここのお店！」と決めている飲食店や、ブランドショップ、ヘアサロン、携帯アンテナショップなど……。それは、「そのお店」ということよりもある特定の信頼できる「人」がその場所に存在するからという理由が、選んでいる大きな一因なのではないでしょうか。

このように何かを購入するときや、気分よく食事できる場所を選ぶときは、「あの人の接客は気分がいいから」「あの人だったら安心して購入できるから」というように、心の通ったコミュニケーションができた店員さんがいるお店を選んでいるように思います。

実際に、私にもいくつかそういったお店があります。お店で受ける「店員さんの反応」が、その後の付き合いに大きな影響を与えていることは確かなのです。

そんな影響を及ぼした店員さんたちの共通点というのは、徹底的に相手に対して「巻き込んだ反応をし続けていた」ということなのです。**その瞬間、巻き込まれた相手は「自分は特別な扱いをされている」と思って心地よく感じられるので、「次もこのお店に来よう」と思うようになるのです。**

「巻き込みアクション」のポイントとは?

ここでは、相手を巻き込む人の例を具体的に挙げてみます。

【「巻き込みアクション」の具体例】

①すぐに相手の名前を覚え、会話の中で頻繁に使う

これによって、「あなただけに集中していますよ」という熱い思いを伝えることができます。相手に対して「お客様」の連呼は、心の距離を作ってしまいます。来店してすぐの

挨拶に「吉原様、お待ちしておりました！」などと言われると、親近感にもつながっていきます。

②相手のライフスタイルに合わせた一言が自然に出てくる

相手の職業や、出身地、家族構成などから、とっさに気の利いた一言が出てくると、「この人は自分の理解者である」という存在へと変わっていきます。たとえば、「吉原様には、研修講師というお仕事もありますから、年度がスタートする４月は、さぞかしお忙しい時期になるんでしょうね。あまり無理をなさらないでくださいね」というように、自分の状況をわかろうとしてくれる姿勢だけでも嬉しさを感じるものです。

③慣れてきても距離感をくずさない

相手との会話が盛り上がってきても、立場をわきまえて「一線」を保つことができる人は、信頼に値します。会話で盛り上がった勢いで内輪の問題や、仕事の愚痴などを言ってしまうようでは、逆に「この人には巻き込まれたくない」という防御反応が起きてしまいます。

④相手の変化に気づく

ファッションやヘアスタイルに対して「春らしいピンクがとてもお似合いですね」と伝えたり、手に絆創膏をしていたら「お怪我ですか？　大丈夫でしょうか？」などと、相手の変化を気にかけることができるのは、相手に興味を持っていることの証です。

こうして見てみるとわかるように、「相手を巻き込める人」、すなわち「その後につながる反応」ができる人たちは、常に「相手をよく見る」ということが徹底している人たちです。

自分のことばかりを主張している人は、もう一度見直したいトピックですね。

Point

相手を巻き込むために、会話の中で最低1つは「巻き込みアクション」を実践しよう！

31——人と縁を切ることを恐れるな

人をきちんと見抜いていますか？

以前ある企業のパーティーで出会ったＷＥＢ関係の仕事をしている女性から、このような質問を受けたことがありました。

「仕事の依頼で相談があるなどといって、食事に誘われることが多いのですが、食事に行ってみると、結局は具体的な依頼も仕事の話もほとんどなく、単に食事をして終わり。その後もまた、ある程度日がたつと、食事に誘ってくる男性が何人かいますが、吉原さんは、そういうときにどのように対応していますか？」

同じように、「仕事をあげるから」という男性と何度か食事をしても、仕事の具体的な話をしてもらえなかった……というエピソードを何度も聞いたことがあります。

「～してあげるから……」という甘い（黒い!?）うたい文句で寄ってくる人たちは、どの世界にも存在するでしょう。

私の結論としては、**この手のタイプの人たちと付き合わないですむように「人を見抜くセンス」と、自らが「結果を出せる仕事力」を身につけることが重要だということです。**

そして、この手のタイプの人たちには、過度な期待を持たないことです。口先ばかりの人たちと付き合っていても、発展性も生産性もありません。「次こそは、きっと約束を守ってくれるに違いない！」などと期待して一喜一憂している時間があれば、自らが動いたほうが効率的で気分もいいはずです。

「断らない」＝「依存」になる

そもそも、本当に力があって賢い人たちは、相手に対して確実に約束できることでなければ、一切口にはしません。また、彼らは女性を誘いたいと思えば、こざかしい嘘をつかなくても誘える自信があります。そして、根拠のない期待をちらつかせて人に近づかなくても、欲しいものは自分で手に入れることができます。

本物の人と、口先だけの人との関わりをコントロールできるのは、自分自身だけです。**自分の人生において、上質な時間や人を選択するときには、「依存」の壁を取り払い、相手の本質を見抜いていくことに常に敏感であることが要求されます。**

口先タイプの人たちに限らず、世の中には「自分の甘さ」さえ正せば、なんとか付き合わなくてすむ人たちがたくさんいるように思います。ですから、「人との縁を切る」ことも前向きに考えてみることをおすすめしたいのです。

縁を切ることが「喪失」だと考える方は多いかもしれません。けれども、**実は縁を切らないで、ぐだぐだと付き合っているほうが、時間の「喪失」になってしまうこともあるのです。**

縁の切り方も大事です。何もけんか腰になる必要はありません。

たとえば、先ほどの女性の質問のような状況でしたら、**「とても光栄です。ただ、仕事のお話でしたら、まずオフィスへ伺ってお話を聞かせていただいてもよろしいでしょうか？」**と言ってみればいいわけです。

このように、単刀直入に質問をしてみることがいちばんなのです。

大切にしたほうがいい縁なのか、切ったほうがいい縁なのか、次の3つのポイントから質問し、判断するとよいでしょう。

①相手にどれだけの権限があるのかを探る

②次のアポイントメントの具体的な日程を尋ねる
③別の重要人物と会えるのかを尋ねる

このようなことを質問して、話の信憑性を探っていくのです。仕事も人間関係も、基本的にはＷｉｎｗｉｎの考え方がなければ、発展することは困難です。

だからといって人を疑いすぎて、自分ができることを出し惜しみしていては、チャンスを逃してしまうこともあります。ですから、**労力的に「ここまでは大丈夫」というラインを自分の頭の中で引いておくことが大事です**。そのライン内での労力や情報提供までは、なんとか相手を信じてもいいと思うのです。

しかし、それをしても相手側が言ったことを何もしてこないとなると、縁を切るべきサインだと心得るべきです。

Point

口先ばかりの人には、「ここまでは大丈夫」という予防線を引こう！

32 ネガティブな人には明るい「まあまあ」を使え

ネガティブな人にはどう対処していますか?

1月の寒い季節にゴルフのラウンドの予定があるAさん、そしてその話を聞くBさんの会話を紹介します。あなたはこの会話をどのように思われますか?

A「実は明日、千葉でゴルフなんですよ。久しぶりのゴルフなので緊張しています」
B「こんなに寒い中、ゴルフだなんて! 明日は風も強いらしいですよ」
A「ええ。天気予報ではそうなっているようですね」
B「寒いうえに風が強いとなると、あまり楽しめないかもしれませんね」
A「まあ、なんとかなるといいんですが」
B「いや〜、手も足もかじかんでくるだろうし、行っても後悔しちゃいそうで最悪ですね」
A「………」

もしあなたがAさんだとしたら、最後の「…………」までくるころに、どのような気持ちになっているでしょうか。

私なら、翌日のゴルフよりも、その人に話したことを後悔してしまうでしょう。

残念ながら、Bさんのような方は世の中にたくさんいます。Bさんに悪意があってもなくても、Aさん側のストレスはかなりのレベルで上昇してしまいます。

いちばんよい解決法は、Bさんのような人とは話をしないことです。Bさんのように反応がネガティブな人とは関わらないのが何より賢明です。

ただ、社内でこういうタイプの先輩や上司がいて、話をせずに関わらないわけにはいかないという人には気の毒なので、Bさんのような人に対応するときに知っておくと便利な会話のフレーズ・ポイントを挙げてみました。

①Bさんとの会話は超薄の表面的会話にとどまらせる

天気、平和なニュースのほんの表面的な話を引き伸ばす。あるいは、沈黙もありです。

②Bさんの反応に対して「まあまあ」を連発する

「まあまあ」はとにかく明るく言いましょう。相手を落ち着かせて、楽しそうに絡んできたようにも思ってもらえるニュートラルな言葉です。ただ、目上の人に言ってしまうと、「何がまあまあだ」などと機嫌を損ねてしまうこともあるので、相手を慎重に選んで使いましょう。

③Bさんの反応には「いや〜どうなることやら」で終わらせる

実に無難な大人の反応です。Bさんタイプの中には、自分が何か言ったことで相手が感情的になると「しめしめ」と思う人もいますから、「私は感情的にはなりませんからね〜」というサインを出して、Bさんのあなたに対するひねくれ心や闘争意欲をダウンさせましょう。

④Bさんの反応に「確かに」「Bさんが正しい!」と言って勝たせてあげる

かなり成熟した人の反応です。Bさんとは戦うどころか、同じ土俵にはいたくないと思うほうが利口です。ですから思う存分、勝たせてあげましょう。

「Bさんみたいな人っている いる！」と言っている人も、わが身を振り返ってみるといいかもしれません。

たとえば、友人が予約してくれたレストランが想像していたよりも味もサービスも悪く、その友人が「せっかくの食事だったのに、なんだかごめんなさいね」とあなたに謝ったとします。

あなたは何と言いますか？

もしあなたがBさんだとしたら、間違いなく「次は本当に勘弁してよね」「いや～本当にひどかったね。最悪～」と言ってしまうでしょう。

私だったら、友人は失敗を認めて謝っているわけなので、「話に夢中だったから、料理の味はそれほど気にならなかったよ」「今回は予約してもらったから、すぐに入れてすごく助かった。忙しいところありがとう」と言って話を終わらせて、今後は二度とそのお店へ行かないでしょう。

もちろん、「わざとこういう面白いところを選んだんじゃないの～」と冗談にして笑える仲でしたら、それはそれで微笑ましい限りです。

ただ、自分のちょっとした発言一つが相手の心に優しく吸収されるのか、あるいは鋭く傷つけてしまうのかを考える習慣を、もっと真剣に考えていきたいものですね。

Point

ネガティブな人とは付き合っても巻き込まれないフレーズを使おう!

33 愚痴に対しては「特殊スキルほめ作戦」で逃げよう

愚痴り屋さんにはどう対応していますか?

私のメインビジネスの一つに「プライベートコンサルティング」という、クライアントと1対1で行うセッションがあります。私の専門はプレゼンテーションだということは前述しましたが、プレゼンテーションというのは表現法の「型」だけにこだわるのではなく、本人の心理との深い結びつきがあってこそのものです。

ですから、プレゼンテーションのトレーニングといっても、発声や話し方だけでなく、自分をよりよく理解するためのコーチングや、キャリアの相談、対人関係の問題点、ストレスといった範囲までを徹底的にお話しししています。

そもそも、クライアントの方々はプライベートコンサルティングに投資する価値を見出しているほどですから、向上心がある方ばかり。そしてコンサルティングを通して、クライアント自身が今の自分により自信を持てるようになり、オーラが変わっていく様子をそばで支えられることは大きな宝だと感じています。

そんな中、本人の力ではどうにもならないこともあります。それは「他人」のことです。よく相談されるのは、「人の悪口、陰口、そして仕事や社会に対しての愚痴を言う人へはどう対応すればいいのか?」という質問です。

前に出てきた「ネガティブな人攻略法」とは少し違って、あなた自身に攻撃してくるというよりも、第三者のことを悪く言うことで、あなたを巻き込もうとするケースです。

それでは、質問です。直感で答えてください。

Q. あなたの先輩が「部長って最低な人だよね。仕事はできないし、性格は悪いし!」と言ってきたら、あなたは何と言って反応しますか?

一般的に多い答えとして、2つ挙げるとしたら、

① 「どうでしょうね。私にはよくわかりません」

② 「本当に最悪ですよね。私も大嫌いです」

【解説】

①は相手に対しての無関心さ、先輩を避けたいという気持ちがあからさまな言い方で、怒りを買ってしまいそうですね。また、器の小さい相手ほど「自分に同調できないなんて生意気だ」と思うことがあるので、そうなるとますますややこしくなります。

②こういったことに感情的になって同調することに、何の意味もありません。あなたの品を疑われても仕方ありませんね。先輩のご機嫌を取っているつもりでも、悪口が周囲に発覚したときには、あなたも共犯となってしまいますからご用心。

それでは、いったい悪口、陰口、愚痴を言う人へはどのような反応がいいのでしょうか？

私がおすすめしている方法は、ずばり「視点を変えてほめる」ということです。ここでの「ほめる」という意味は、人生の師として仰ぐほどではなく「まったく、感心しちゃうよ」という程度でよいわけです。

愚痴り屋さんの特殊なスキルをほめる

たとえば、悪口、愚痴を言ってしまう人を分析してみると、以下のようなことがあてはまります。

・いつも悪口を言っている　↓　観察力がある
・陰口が多い　↓　感受性が強い
・ストレスがたまっている　↓　神経が細やかである
・忍耐力がない　↓　自由奔放で、感情表現が豊かである

このように、やや強引ではありますが、こういう人たちの特殊なスキルを分析してあげると、視点を変えてほめることができるのです。

そこで、先ほどの例でいくと、こんなふうにかわすことができます。

先輩　「部長って最低な人だよね。仕事はできないし、性格は悪いし！」

あなた「そういうふうに感情がオープンなところが、先輩の面白いところですよね」

「先輩って、本当によく人のことを見ている方なんですね。見ているところが違うから、気がついちゃうんだろうな……」

「部長は先輩にかなり期待しているのだと思います。だから、あんなふうについ力が入りすぎて、強い口調になってしまうんですよ。期待されてるって羨ましいです」


あまりにほめすぎると、嘘っぽく聞こえてしまいますからほどほどにしましょう。

こういった先輩（相手）は、「ほめられた」「感心された」という予測していなかった突拍子もない反応によって、怒りのペースが狂います。

その隙に話題を変えたり、自分の苦労話や不幸話にすり替えたりするなどして相手にそれ以上、険悪トークをさせないよう会話と空気の方向転換を仕掛けていくとよいでしょう。

荒技的な対処法としては、やや微笑んで、ほぼ無反応に対応するという方法もありますが、あなたのキャラクターにもよります。普段からお調子者の方は、ギャップが大きすぎるので、この方法は厳しいかもしれません。日ごろから寡黙で口数が少ないタイプの方であれば、あまりギャップは生じないので問題はないでしょう。

もちろん、「同調」も「視点を変えてほめる」ことも一切せずに、「そんなことはないと思いますよ」などと自分が思っていることをストレートに主張することも大事なのですが、できる限り相手から恨まれず、波風を立てず、無駄な時間と労力をかけずに会話をすませたいものです。それには先ほどの方法で「ほめる」「感心する」といったかわし方のほうが、明らかに、事態が丸くおさまります。

世の中では賢い人ほど、うまくかわしているものです。そして、こういった悪口、陰口、愚痴をいつも言っている人は、「うまくかわす人」たちへは、悪口などを言わないようになってきます。それは、愚痴を言っている人たちが**「言っても同調してくれないから面白くない」と思うようになるからです**。

ですから、日ごろからこういう人たちに絡まれたら、スマートにかわしていくことで、相手が自然とあなたから離れていくよう仕掛けていきましょう。

Point

悪口、陰口、愚痴を言う相手には、視点を変えてほめることで賢くかわそう！

34 相手にとって「意外に失礼な言葉」を使うな

「意外に失礼な言葉」を知っていますか?

何げなく私たちが使っている言葉の中には、相手に対して「よく考えると非常に失礼」だったり、「よく考えなくてもかなり失礼」だと思われるものが、実はたくさんあります。一度それらを整理して、見直してみましょう。もしかしたら、あなたが多用している言葉があるかもしれません。

①「暇なときに電話するね」「暇だからその日は大丈夫」「暇があったらまた会おうね」

↓「暇」なときにしか、その相手には時間を取る価値がないという意味にも取れてしまいます。たとえば、「ぜひ時間を見つけて連絡させていただくね」「ぜひまた時間を合わせて会いましょう」などという言い方のほうがスマートです。

②**「わざわざ」**

↓気持ちをこめて言えれば問題はありませんが、大して気持ちをこめずにあっさりと言ってしまうと、恩着せがましく聞こえたり、嫌味に取られたりすることもあります。したがって、言い方に抑揚をつけて「わざわざ＋お忙しい中、お足元の悪い中」など、状況に合わせた気遣いの言葉をプラスすると、一層心のこもった表現となります。

③**「コーヒーでいいです」**

↓「〜でいいです」という言い方は、「ほかに選びたいものがないから仕方なく妥協する」というような横柄なニュアンスが感じられます。ですから、「〜をお願いします」という言い方にしてみると、自然で品もあります。たった1文字でニュアンスはガラッと変わるのです。

④**「っていうか」**

↓たとえ相手の意見に賛成できなかったり、内容が間違っていたとしても、極力使いたくない、品のない言葉です。「っていうか」を使うと甘えん坊、稚拙、言葉知らず、利己的で感情的な印象を与えてしまいますから要注意。まずは「なるほど」「そういうご意見をお持ちなんですね」などといった肯定の言葉を伝えてから、自分の意見を言うようにすると余裕が感じられます。さらに、否定されるよりも肯定されたほうが、そのあとのコミュニケーションの空気がクリアになります。

⑤「こだわりはないので、どちらでもいいです（何でもいいです）」

↓たとえば友人や同僚、上司からの旅行や出張などのお土産、2種類の中からどちらかを選ぶケースはよくあるでしょう。「どちらでもいいです」という回答は、言っている本人からしたら気を遣っているつもりでも、買ってきた側からすると「どちらにも特別な興味はない」と受け取られかねません。

こういうときは「うわ〜、どちらも素敵で迷ってしまいます」「この選択は贅沢《ぜいたく》ですね」というふうに、2つのものが「すばらしすぎて決められない」というニュアンスを伝えると喜ばれます。

⑥「雰囲気が変わりましたね」

→聞いたほうとしては、「どう変わったの？」ということが気になって仕方がありません。

ですから、「雰囲気が変わりましたね」と言うのは、具体的にどこが変わったのかポジティブに伝えられるとき（人についてであれば若々しい、はつらつとしている、エレガントなど。インテリアについてであれば、広く感じる、明るくなった、開放感があるなど）に限るのが無難です。

たとえば、髪を短く切った人がいたら、「雰囲気がより明るくなりましたね」などと伝えてあげるといいでしょう。単に「雰囲気が変わりましたね」だけだと、聞いたほうは「似合っていないのかな？」と不安になってしまいます。

もし、全体の雰囲気がマイナス方向に変わったのなら（疲れて見える、老けて見えるなど）、「最近はお忙しかったですか？」「お変わりはございませんでしたか？」など、相手が自由に答えられるような質問に切り替えたほうが親切です。

⑦「今日はきれいですね」「昔は美しかったんですね」

→「今日は」「昔は」に限定してしまうと、「いつも、または、今はきれいではなかったのか?」と受け取られてしまいます。ですから「今日はいつにも増してきれいですね」「昔から美しいんですね」と、ほめているその瞬間がベストだけれども、「あなたはこれまでも（または現在も）『きれいの高レベル』に位置していることを認めていますよ」という意味を出してあげられるとスマートです。

⑧女性に対して「大きい（でかい）」「太い」「たくましい」男性に対して「弱い」「小さい」「頼りない」

↓女性も男性も、「女性らしさ」「男性らしさ」をほめられると嬉しいものです。ですから、女性に対して「男性らしい」とほめると相手は傷つきますし、男性に「女性らしさ」をほめても相手は困惑してしまいます。タイプにもよりますが、一般的（あくまで）にはこのように覚えておき、その相手に合わせてほめ言葉を調整していくといいですね。

⑨「お待たせしました」

↓もし人を待たせた場合には、「お待たせしました」だけでなく、謝罪も入れると、なお礼儀正しさを感じます。「お待たせして申し訳ございません」といった感じです。「お待たせしました」は、自分の状況説明にすぎませんから、待たされている相手にとっては、それほど誠意を感じる言葉ではありません。きちんとお詫びをすることで、相手への気持ちを伝えていきましょう。

また、大して待たせていないのに習慣化して「お待たせしました」を使ってしまうと（とくに接客業の方は要注意）、相手としては余計に「待たされた」という気分になって、マイナスの印象を与えてしまうこともあります。

⑩「結構です」

↓「いらないよ」「必要ないよ」という意味では正しいのですが、響きとしてはかなりの鋭さを持っています。発音するときには、思いきり微笑んで言ってみたり、「結構ですよ」と、「よ」を入れてソフトにして言い換えたり、「かまいませんよ」と明るく言ってみると、好感度も上がります。

Point

その言葉、自分が言われたらどう思うかを常に考えよ！

35 いつも笑顔でいるのはやめよう！

やみくもに笑顔を作っていませんか？

マナーやコミュニケーション関連の本には、よく「笑顔が大事」と書かれていますが、「笑顔だけが大事」という意味で理解しないよう、自分なりに解釈してから取り入れたい知識です。というのは、いつでも、どんな状況でも笑顔でいるということは、ときに非常に失礼なことだからです（これも想像力を働かせればもうおわかりですね！）。

「えっ、いつも笑顔でいたほうがいいと世間では言われているけど？」と、疑問に感じた方も多いのではないでしょうか。

何も、「絶対に笑顔になるな！」という提案ではありません。**私が言いたいのは「表情で語れる人になろう」という意味です。**

たとえば、相手から難易度の高い質問を受けたときや、悩みや相談を持ちかけられたとき、あなたはどんな表情をしますか？　笑顔でいたほうが好感度が高いと思いますか？

答えはＮＯです。もしあなたが真剣だとしたら、笑顔である必要はなく、むしろ目に力を入れた表情をすべきです。そうやって真剣さを表現しなければ、相手は「真面目に考えてくれているの？」「ふざけている？」と思ってしまうかもしれません。

私が、年間で１０００名以上の研修受講者やクライアントとお会いする中で実感しているのは、**「説得力がある」と思われる人には、「表情にメリハリがある」「表情が豊かである」という共通点があることです。**

もちろん、笑顔でいることによって、相手に安心感や親近感を与えるばかりでなく、外見的にいい印象を与えることは確かです。そして、何かを説得するとき、笑顔が素敵な人は得をすることも多々あります。

ただ、話の内容が明らかにシビアなのに、表情が笑顔なのはむしろ不自然であり、「話を心で聞いていない」というふうに受け止められてしまいます。

このように、表情は心の鏡でもあるのです。

たとえば、「あなただけに相談するのだけど、実は私の主人がリストラされて……」というような相談を持ちかけられたとき、あなたは２０１ページのＡとＢの写真のうち、どちらの表情で話を聞くほうが相手に安心感を与えられると思いますか？

当然、答えはBです。

Bの真剣顔写真は、決してネガティブな表情ではありません。力強い目の印象によって、頼もしく聡明な印象になるのです。笑顔ではないからと言って、「暗いのでは？」「元気がないのでは？」「余裕がないと思われるのでは？」と思うのは大きな間違いです。笑顔は自信の表れでもありますが、一方では、時として、自信がないから笑顔に頼るというふうにも考えられます。

一方、Aの写真は笑顔ではないにせよ、明らかに目に力が入っておらず、興味のなさが出てしまっています。こんな表情をされたら、相手は話す気が一瞬でなくなってしまいますから、注意が必要です。

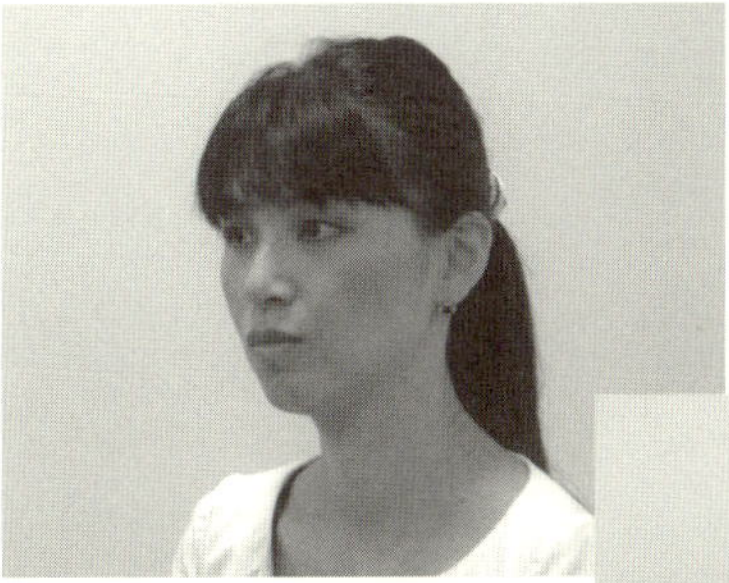

A

B

顔には約50個以上の筋肉があると言われています。ですから、それらをもっと意識して使い、感情を表情で表すことで、説得力のある存在になれるのです。

顔の筋肉は柔らかくしておこう

私は、企業の採用に関わるコンサルティングも行います。契約先企業の人事部の方々とチームを組んで、人材選考が公平に、かつできる限り短時間で応募者の内面を見出していけるようにサポートしていきます。

そして、ほとんどの応募者の方々は笑顔で面接に来ます。第一印象として笑顔はOKです。逆に**笑顔がまったく作れない人は、その時点で少しマイナスの印象です**。そこまでは、いいのですが、会話が始まってから、表情のバリエーションがあまりに少ない方が最近は目立ちます。

もちろん、緊張している点は考慮します。ただ、面接官の質問の内容に合わせて目の周りの筋肉に力を入れて答えるようにしたり、「行動力がある」「個人セールス部門でMVPを受賞」などといったセールスポイントを話すときには、力強い声が出るように口をはっきりと開いて話すなど、私たちが語りたいことを大いに代弁してくれる表情を、もっと活用すべきです。
それでは、表情の動きをより豊かにし、顔の筋肉を柔らかくするためにおすすめしたい簡単なトレーニングをご紹介します！

①「あいうえお」と言いながら、口がさけるほど思い切り大きく口の筋肉を動かす
②①を、スピードをつけて3回連続で繰り返す

声は出さなくてもＯＫです。朝、そして大事なプレゼンや面接前に、トイレの個室で一人練習をしてみましょう。その効果は絶大で、緊張してこわばった顔の筋肉が柔らかくなって、表情が変化しやすくなります。マラソン前の準備体操と一緒です。

Point

笑顔以外の表情で語れる人になろう！

36 第三者のことばかりを話すのはＮＧ！

好印象を持てない人を反面教師にしよう

初対面で人と会ったとき、なぜか好印象を持てない相手はいませんか？

たとえば、あなたと私が初対面でお会いしたというシチュエーションを想像してみてください。あなたは、本やブログなどを通じて私のことを知っていたとしましょう。そして、私はまったくあなたのことを存じ上げていません。

そこでは、どのような会話が成立するのでしょうか。あなただったら、どんな会話の展開だと、私との会話を楽しむことができるでしょう？

こんなときには互いに、聞きたいことや盛り上がりそうな質問をしてみることをおすすめします。あなたからの質問は、私のブログで気になっていた記事についてでもいいですし、私からの質問は、どのようなことがきっかけで、私の本を買ってくれたのか、等々。相手の第一印象や、趣味や現在夢中になっていることの有無など、相手のすばらしいところを引き出す工夫をしてみたり、好きな食べ物やよく行く場所などの共通点を探そうとするのもいいでしょう。このように、**お互いが会話の焦点を「相手」に合わせることで、楽しみながら会話ができたら最高ですよね。**

ところが、最近は焦点の合わせ方がずれている人を頻繁に目にすることがあります。

あるとき、私の友人の誕生日会がレストランで開かれました。それは彼女の友人、知人が50人くらい集うカジュアルなもので、途中退室もOKでしたし、ご主人を連れてきている女性や、主役の彼女とは面識がないけれども、もともとパーティーに誘われていた女性から誘われてきている人まで、懐かしい顔もあれば、初めての出会いもあり、それは賑やかで楽しいパーティーでした。

そしてその会場で、私は同年代のある初対面の女性と話をする機会がありました。「こんばんは」と互いに笑顔で挨拶を交わすと、どういう経緯でパーティーに参加しているかの話へと進んでいきます。すると、その話の中で、お互いに共通の友人がいることがわかりました。

その共通の友人は誕生日の主役の彼女とは関係のない人脈だったこともあって、「世の中、狭いですね～」などと親近感を感じ、嬉しいながらも驚いていました。しかし、その女性は延々と、共通の友人のエピソードばかりを話すのです。

そして、「○○（共通の友人の名前）って、いつも元気ですよね～」「○○は最近、育児に追われていて～」「そういえば、○○が～」と、すべての焦点が「共通の友人」にしぼられた会話が5分以上続きます。一応私は、彼女のマシンガントークの隙を見て、ワイングラスを持っていた彼女に「△△さんは、お酒がお好きなんですか？」と聞くなど、退屈なこの会話をなんとか変えられないかと試みてはみたものの……。彼女は質問に答えると、すぐにまた共通の友人話を続けます。結局、私はその女性についてほとんど知ることができず、彼女も私について何の情報も得られないまま、10分近くの時間が過ぎていったわけです。

そこで私は「それでは、ぜひ○○さんによろしく伝えておいてくださいね！　ほかの飲み物をいただいてきますね。また後ほど」と言って、女性のもとから逃げるように退散することになりました。

もうおわかりかと思いますが、その女性との会話はまったく楽しいものではありませんでした。その理由は、この会話は何も実らない時間だったからです。

もちろん、第三者の話が悪いとは言いません。それで盛り上がったり、懐かしんだり、そこから何かしらのきっかけが生まれて、お互いの会話がフレンドリーになることもありますから。ただ、バランスや限度というものがあります。

せっかく、互いの共通点が見つかって距離感が縮まってきたのですから、いつまでも「ここにはいない第三者」の話ばかりをするのではなく、「その場にいる人」に焦点を合わせて話を展開していかないと、次のようなタイプだと思われても仕方ありません。

・自分にはまったく興味がない人
・会話を楽しくできない人
・人を喜ばせるセンスがない人
・自己中心的で気が利かない人
・空気が読めない人

初対面で会ったときに限らず、近い友人、ビジネス上の関係でも同じことが言えます。

繰り返しますが、**「ここにはいない第三者」のことを話すことが一切NGと言っているの**

ではありません。好きな俳優、歌手、スポーツ選手など……第三者の話で盛り上がることは多々ありますし、共通の知人や友人、家族の話などをすること自体には問題がありません。

ただ、しつこいようですが、**バランスと限度をしっかりと考えることがマナーです。**会話をして信頼関係を作りたい人は、会話の「焦点」がぼけないための項目を常に確認しながら会話を進めていきましょう。

会話が楽しくなるポイントとは

それでは、会話の相手を置き去りにせず、目の前にいる相手との会話を楽しむためにははずせない、絶対的な2つのポイントを説明しましょう。

①会話がスタートして1分以内に、相手の情報を最低3つはキャッチする!

情報を得るには、よく相手を観察することです。「過去・現在・ちょっと先の未来」をイメージして、質問をしながら情報をキャッチ、または情報をアウトプットして「あなたのことを考えていますよ」というサインを送りましょう。ポジティブな質問のほうが話しやすいのですが、病気や怪我をしていた情報をキャッチしていたら、差し障りのない程度に心をこめて、心配している気持ちを伝えることも温かみがありますね。


「お元気でしたか？」

「先日の出張はいかがでしたか？」

「たしか来週は出張で大阪へ行かれる予定でしたよね？」

「お昼ごはんはゆっくり召し上がりましたか？」

「ワインはお好きですか？」

「当社までの道順は迷いませんでしたか？」

「体調は回復されましたか？」

「息子さんが大学に入学されたそうですね。おめでとうございます！」など

②会話の中で相手の名前をどんどん使う

会話の中で、相手の名前を使わなくても話の流れやアイコンタクトやジェスチャーによって、誰のことを言っているのかはおおよそわかります。ただ、それでもあえて相手の

名前を使って話すことをおすすめしています。何度も自分の名前が会話に出てくると、「特別感」や「優越感」が生まれます。ですから、名前を省略せずにどんどん使って、相手の気分をよりよくしてあげましょう。


「田中さんはいつもスーツがキマッていますね!」

「私も今、渡辺さんがおっしゃった○○という意見に賛成です」

「吉沢さん、いいことをおっしゃいますね」

「では、岡本さん。そろそろ出発しましょうか」

「(自分の話を相手に振るとき)中野さんもそういうときありませんか?」

「(席はずしで相手を待たせたあと)川村さん。お待たせして失礼いたしました」

「(相手が落としたペンを拾ったとき)西川さん、ペンを落とされましたよ」


まずは、この2つのポイントを徹底してみてください。初対面の会話が苦手な人、あるいはついつい自分ばかりが話してしまう人でも、①と②がちゃんとできていたら、何とかなります。

「何とかなる」というのは、高度な観察力がなくても、回転の速い会話ができなくても、しっかりと相手を巻き込んだ会話ができるということです。

これであなたは「空気が読めない」「会話のセンスがない」と言われることはなくなるはずです。

Point

「ここにいる人」を大事にした会話をしよう

37 ドン引きされる余計な一言は使うな

自分から人を遠ざけていませんか？

あなたは次のような話を聞かされたら、その人のことをどのように思いますか？

「私、しょっちゅう忘れ物をしちゃうんです」

「人の名前が覚えられないんです」

「すぐ物をなくすんです」

「方向音痴ですぐ迷うんです」

「キレたら怖いってよく言われます」

「そとづらがいいだけなんです」

「食生活はほぼジャンクフードです」

「家の中や机の上をかたづけられないんです」

「寝る前に『ムカついた人ノート』を書いています」

「会社には内緒の副業で使う書類を会社でコピーしています」

「顧客名簿をどこかになくしちゃったことがあるんですよ」

「すぐに友人の彼氏を好きになっちゃいます」


実際にこういった話を、得意げに話している人がいます。

「オープンな人なのね……」ですまされるでしょうか？

ついうっかり、しゃべってしまったとしても、注意力が足りないと言えますし、内容がが内容だけに仕事の評価のみならず、人格をも下げてしまっています。また、内容から、本人のすさんだ生活面や精神面が浮き彫りになっていたり、誠意や常識、道徳に欠けるような「扱いづらい人」というレッテルが貼られてしまったりしても仕方がありません。

してしまったことを悔やんでいる、反省しているといったニュアンスではなく、**明らかに自慢できないようなことを、武勇伝のように話をしている人がいるのは、非常に恐ろしいことです**。

短所や弱点をあえて相手に見せることで信頼が深まることもありますが、内容や表現によっては、よくないことが降りかかることがあると知っておいてください。

なぜなら、**そういう人は一緒に仕事をすることになっても信用できないからです。**忘れ物が多い人に何かをお願いする勇気はありませんし、物をよくなくしてしまうという応募者に内定を出す経営者は皆無でしょう。そして、電車の乗り間違いが多い人にリーダーを任せることはリスクが大きすぎます。

最近では、政治家や謝罪会見をしている企業トップたちの「失言」が問題になっています。なぜ失言が多いかには様々な理由があるにせよ、私の意見としては**「人からどう思われるか」ということを浅くしか考えられない想像力不足が、大きな要因だと思っています。**

品性は会話にそのまま表れる

過去の苦い失言は誰にでもあります。そういった失敗によって失ったものを考えて、緊張感を持ってコミュニケーションを取っていかねばなりません。

以前、会食中に近くのテーブルからある会話が聞こえてきました。どうやら、弁護士として長いキャリアを持つ男性が、関連会社でOLとして働いていると思《おぼ》しき女性たちに、「私は厳しくて有名でしてね。つい部下をうつ病にさせて辞めさせたり、自殺に追い込んだりしちゃうんだよ。わっはっは」と、大声で自慢げに話していたのです。

私は呆然《ぼうぜん》としてしまいました。しかも聞いていた女性たちは「うっそ〜、怖い！」と手を叩きながら大笑いをしているではありませんか。品のない大声で話すというマナー違反以上に、人格を疑いかねない会話の内容はあまりに衝撃的でした。

心を開いて人と接することは大事ですが、自分が話をする内容によって、どのような影響があるかを考えてから話すようにしないと、信頼だけでなく、自分の将来のチャンスまで失うことになるのです。

Point

オープンに話すことで、相手を不安にさせることもある！

38 好かれようとするのはやめよう！

「好かれよう」としないほうが魅力的になれる

何となくでいいのですが、あなたは人と接するときに、「相手から好かれたいな」と思っていますか？

もちろん、多くの方が相手から嫌われるのに比べたら、好かれるほうが断然いいに決まっていますよね。私も、そうです。いや、そうでした。過去に「人に好かれる」というキーワードで、身だしなみや話し方、話す内容を考えていたことがありました。でも、今は違います。

私自身も現在意識していて、かつクライアントにもおすすめしていることは「相手から好かれる」よりも、「相手から必要だと思われる」ということです。

「相手から好かれたい」と思うことが、決して間違いだというわけではありません。

ただ、**好かれるために何かをしようとするよりも、必要だと思われるために何かをする**

ことのほうが、ずっと深い信頼関係を相手と作っていけるのです。

そこで、「好かれようとすること」と「必要と思われようとすること」の違いを以下にまとめてみました。

■相手から好かれようとすること

・相手の好みに合わせようと必死になる
・相手に愛されたいという欲求が軸となる
・相手を「受け入れること」より相手に「受け入れてもらうこと」のほうに気を取られる
・相手の意見を正しいと思い込もうとする
・「よく見せる」「うまくやる」といった意識が強くなる

■相手から必要とされようとすること

・相手のニーズを探ろうとする
・相手本位の考え方が軸となる
・好かれることよりも、相手がハッピーであることを優先できる

・相手にとって必要であれば、厳しいことも自信を持って助言できる
・飾ることなく自分を開示できる

相手から「必要とされる人」になるためには、相手に興味を持ち、観察することが求められます。

そうなると、**自然に「言葉選び」をし、「質問」に対しても意識するようになります。**

「必要とされる人」は、相手との信頼関係が強くなるだけでなく、「言葉」や「質問」のスキルが上がっていくという嬉しいメリットも付いてくるのです。

人から「必要とされる人」になろう

さらに驚くべき違いは、「好かれている人」はプライベートの付き合いだけの関係となってしまいますが、「必要とされている人」は、プライベートとビジネスの両方で相手から求められる存在となることです。

実際に、私自身が「相手から好かれようとするのではなく、必要とされる人にならなければ」と思って行動を変えたことで、次のような多くのメリットがありました。

①自分の印象がブレなくなった

「あの人にはこのキャラ」「この人たちにはこのキャラ」と変えなくなった分、周囲の人に「吉原さんといえば○○」というイメージが定着し、安心して存在を覚えてもらえるようになった。そのため、チャレンジしてみたい仕事の依頼や、付き合いたい人たちに出会うチャンスが多くなった。

②クライアントが求める成果を出しやすくなった

新人講師時代に「受講者に好かれる講師でなければ」ということを意識していたため、終了後のアンケートでは「講師の話が上手」「講師の笑顔がよかった」という感想が多かった。ところが、「必要と思われる講師」という意識に変えた結果、「厳しかったけど、明日から何をしていけばよいのかが具体的にわかった」「不安がなくなり自信が持てた」など、本質的な感想へと変わってきた。また、受講者が学んだことを職場で実践し、持続する率が上がったという報告を受けることが増えた。

③自分を頼ってくれる人が増えた

クライアントにとって必要な情報や答えを、自分らしく表現できるようになったため、相手が抱えている問題や、言いづらかった胸のうちを話してくれることが多くなった。沈黙も恐れなくなり、相手にとっての「居心地のよい時間」の意味がわかってきた。信頼関係が強くなる分、よりコミュニケーションが取りやすくなった。お互いの理解力も上がった。

④人間関係によるストレスが軽減された

「好かれたい」と思うことは、相手に合わせすぎてしまうことにつながるので、何かを言ったあとに「これは本当の自分なのか?」と後悔することがあり、ストレスを感じることがあった。しかし、「相手にとって必要なことは?」という考えに切り替えてからは、心にもないことを言うことが減ったため、ストレスを感じなくなった。

⑤自信がついた

「好かれたい」と思うと、自分をいかによく見せるか、ということに意識がいきすぎてしまう。しかし、「相手のことを徹底的に考える」ということが習慣になると、忍耐力も付いてくる。したがって、何かで焦ったときにも、うまくバランスを保ちながら相手とコミュニケーションを取ることができるようになり、自分に自信が持てるようになった。

不思議なことに、相手から「自分にとって必要な人だ」と思われると、自然と「好かれる」ようになってきます。しかし、「好かれる」ことばかりに執着している人は、結局「自分さえよければ」という部分を相手に気づかれてしまい、お互いの信頼関係が薄くなってしまうことも。あなたは今日からどちらを意識して相手と接しますか?

Point

好かれようとするのはやめて、「必要とされる人」になろう!

おわりに

38のルールまで読んでいただきましたが、「また会いたい」と思ってもらえそうな気になりましたか？

現段階で、「誰かに会って、早速ルールを試したくなった」「自分に自信が持てそうだ」などと、少しでも感じていただけたら嬉しく思います。

38のルールをすべて暗記しなくてもいいですし、すべてを実践できるようになる必要もありません。ただ、人と関わることを恐れず、できる限り、幸せな状態を自分自身でコントロールできることへのきっかけやヒントを感じ取ってもらえたらと思っています。

コンサルタントとして、日々、人様へはアドバイスをさせていただいていますが、私にも当然のことながら弱点、また自分では気づけない細かい改善点がたくさんあります。

これまで、そういう未熟な自分と向き合い、「そうだ。ルール、ルール！」と言って様々な場面に対応してきました。それによって、どれほど救われたことでしょう。

ただ、もしかしたら、本書のルールのいくつかが、ご自身にしっくりとこない人もいるかもしれません。そんなときは、自分にしっくりとくるルールを真剣に考えてみる絶好のチャンスです。本書12の「受け止める」「受け入れる」というルールを早速実行されてみてはいかがでしょうか。

さて、この本を書き上げられたのは、私の周囲にいるクライアント、メンター、支えてくれている家族や友人の存在のおかげだと心から感じています。そういう人たちに囲まれて、ときにもまれて、ぶつかってきた経験によって、いろいろな刺激やアイディアが生まれてきました。

これからも、相手と自分を大事にし、出会いや時間、そして困難にすら感謝して仕事をまっとうしていきたいと強く感じております。

また、出版のチャンスを与えてくださり、卓越したセンスと人情味あふれるお人柄でここまでリードしてくださった幻冬舎社長の見城徹さんには尊敬と感謝の念でいっぱいです。

そして本書を読んでくださった読者の皆様、最後まで読んでいただき、本当にありがとうございました。ぜひ、近いうちにコンサルティングや、研修、ブログを通して、またお会いしましょう。皆様の心と体がいつまでも健康でありますようお祈り申し上げます。

２００９年　９月　　吉原　珠央

〈著者紹介〉
吉原珠央（よしはら・たまお）　イメージコンサルタント。1976年生まれ。短大卒業後、全日本空輸株式会社（ANA）で客室乗務員として約4年間勤務。退社後に英国留学。帰国後、証券会社IR部門勤務での経験からプレゼンテーションの重要性や魅力を感じたことがきっかけで、専門をプレゼンテーションとしたコンサルタントとして2002年より独立。DC&IC代表として、プレゼンテーション、コミュニケーションをメインにしたコンサルティングや、「体感して学ぶ」というオリジナルのメソッドで企業向け研修講師として年間100本近くの研修や講演を実施。またAICI（米国国際イメージコンサルタント協会）NY支部会員であり、十文字学園女子大学短期大学部の非常勤講師として「キャリアプランニング」を担当。

ブログ『珠央流：美的コミュニケーション論』
http://ameblo.jp/womancbbyoshihara/

「また会いたい」と思われる人の
38のルール

2009年10月10日　第1刷発行
2012年 8月25日　第31刷発行

著　者　吉原珠央
発行人　見城 徹

発行所　株式会社 幻冬舎
〒151-0051　東京都渋谷区千駄ヶ谷4-9-7

電話　03(5411)6211（編集）
03(5411)6222（営業）
振替00120-8-767643
印刷・製本所：図書印刷株式会社

Printed in Japan
ISBN978-4-344-01740-5　C0095
幻冬舎ホームページアドレス　http://www.gentosha.co.jp/

この本に関するご意見・ご感想をメールでお寄せいただく場合は、
comment@gentosha.co.jpまで。